中公新書 1578

佐藤淑子著

イギリスのいい子 日本のいい子

自己主張とがまんの教育学

中央公論新社刊

まえがき

旅先の宿で夕食を親と一緒に食べたいと言って泣く幼児は、イギリスではわがままだが日本ではそうではない。それは大人と子どもの時間を明確に分けるイギリスの子育てのあり方と、幼少時は子どもを親のそばにおくことをよしとする日本の子育てのあり方との違いを反映している。

自分がいま使っている玩具を貸してと言われて貸すことのできない幼児は、日本ではわがままだがアメリカではそうではない。アメリカで幼児を育てた日本人の若い母親は、子どもが自分のお気にいりの玩具を友だちに貸せなくてもそれはごく自然なことだと、アメリカ人の幼稚園の先生に言われて非常に驚いたと記している。

チョコレートアイスクリームでなくては食べたくないと駄々をこねる幼児は日本ではわがままだが、アメリカではそうではない。知り合いの若い駐在員夫人は、親しくなったアメリカ人の家を訪ね、「チョコレートアイスクリームとストロベリーアイスクリームのどちらがいい?」とたずねられた。「どちらでも」と答えると、「どちらがいいかはっきりしなさいな」と再度たずねられた。「だってほんとうにどっちでもいいんですもの。チョコレートを食べたいときもあるし、ストロベリーがいいときもあるし」と答えた。するとさらに、「そんな答えはいけませんよ、その年齢になってチョコレートとストロベリーのどちらがいいかまだ自分の好みを確立していないなんて」と諭されたとおかしそうに話していた。

子育てやしつけの文化比較をすると、幼児のわがままも文化によって親や保育者の受けとめ方が異なるということに気付く。外国に滞在して幼児を育てる親たちはこのような文化による子育てのあり方の違いを身をもって体験するだろう。

文化によって、幼児の同じ行動がわがままであると受け取られたり、正当な自己主張であると認められたりすることがあるのであれば、わがままと自己主張の線引きは難しい。幼児のわがままは、その国の文化の社会化の方向性や対人関係の価値からの逸脱行為が何であるかによって規定されることが多いからである。

そうなるとある文化のなかで、子どもの対人行動の何を問題とするかは、絶対的な価値によるものではなく、その子どもが育つ国の大人の社会の対人関係の価値を投影している相対的なものであることがわかる。であるからこそ、養育者や友だちなど他者に対する子どもの自己主張と自己抑制をどう育《はぐく》むかは文化によって異なる。

長年、文化比較の視点から、「西洋文化の独立的な自己」と、「日本を含む東洋文化での相互協調的な自己」が対照的に論じられてきた。

ところが近年、協調性、思いやり、礼儀正しさ、我慢強さ、従順など、相互協調的自己観に基づき自己抑制的であると特徴づけられてきた日本人の子どもの社会性に黄信号（赤信号？）が点《とも》っている。学級崩壊、いじめ、校内暴力、「キレる」現象、公共の場面での傍若無人なふるまいなど、従来の日本人の対外的なイメージとはそぐわない行動が目立つ。

たしかに、教育現場における上記の問題行動は、何も日本の社会特有のものではなく先進国に共通すると論じられる。しかしながら、表出上の現象は同じでも、その要因や因果関係は文化のダイナミズムとそれぞれの国の社会構造や教育システムのなかで、いくつかの先進国に共通する部分とその国特有のものがあることが考えられる。

私は、日本人の子どもの集団適応型の対人行動のあり方の破綻の要因のひとつは、対人関係における葛藤《かっとう》が生じたとき、自己を主張すべき場面でも、自己を抑制すべき場面でも自己抑制をする「抑制―抑制型」のパーソナリティ形成の限界にあるのではないかと見ている。

自己主張は日本人の対人関係においてはタブー視されてきた。自己主張する人間は自己中心的であるとか、周囲との調和に対する配慮が足りないと考えられてきた。さらには自分の考えや率直な気持ちについて述べる自己表現でさえも、日本人は抑制する傾向にある。

子どもの発達を考えるとき、親和性と達成力、社会性と個性のバランスが重要であることが指摘される。であるとすれば、他者の考えや気持ちに歩み寄り人との結びつきを大切にする側面と、もう一方でこれだけはどうしてもゆずれない、これについては自分の意志を優先させたいという自律の側面とその両方が大切であることは自明の理である。

また私は少女時代にオランダ、成人してからはアメリカ、イギリスの三つの外国で生活し学ぶ機会に恵まれたが、いずれの国においても自己主張は日本人が捉えているものとはかなり違うことを知った。そのことについては本文中で詳しく触れるが、自他調整のうえに成り立つ自己主張の有効性こそが自己を向上させる原動力となると考える。

本書では、日本とイギリスの文化比較を軸に、幼児期の自己主張と自己抑制の発達を考察する。さらに日本とイギリスの母親による子どもの自己主張と自己抑制の受容と規制についても論ずる。

第一章では自己主張と自己抑制を定義し、文化比較の視点から捉えることを試みる。第二章ではイギリス人、アメリカ人と日本人の自己主張と自己抑制のバランスについてのひとつの見方を提示する。第三章ではイギリスと日本の幼児期の教育やしつけの比較を通して、それぞれの文化における子育てと幼児の自己の発達の様相を概観する。第四章では、博士論文の調査研究のデータをベースに、日本とイギリスの幼児の自己主張と自己抑制の発達を比較し、幼児の自己主張と自己抑制に関わる母親のしつけを比較する。第五章では、日本人の対人関係における価値態度と、日本人幼児の自己主張と自己抑制の発達との関わりを考察する。第六章では、幼児の自己主張と自己抑制の両方の側面を発達させる「主張―抑制型」のパーソナリティ形成の方向性を探る。

私は、いくつかの異文化体験から、文化が自己に与える影響を見つめてきた。文化の共通性と相違点、その偏向のプラスマイナスを含めて、学校教育や家庭でのしつけに内包される文化の価値がいかに人の発達や生き方に影響を与えるかを、理論と経験の両方で学んできた。

幼児期の自己主張と自己抑制の発達の日英比較を通して、グローバルな時代の子育ての方向性を模索してみたいと思う。

目次

第一章　自己主張と自己抑制

オランダの学校

アルバムを開くと、一枚の遠い日の大切な写真がある。オランダの小学校六年生の遠足の記念写真である。場所はロッテルダムの南にあるZeelandという海岸で、女の子たちも男の子たちと同じように、ラフに足を組んで砂の上に座っている。金髪や茶色や亜麻色の髪の子どもたちのなかで、ひとりだけ黒い髪の私は、くったくのない幸福そうな笑顔を見せている。

明朗でのびやかに写っている私だが、かつて、日本の小学校一年生のときの通知表には、私の性格に触れて「ひっこみじあん」と書かれてあった。暑い七月の終業式の日、第一子の初めての通知表を熱心に見ている若い母の膝にもたれながら、私はその手元をのぞき込んで、「ひっこみじあんてなあに？」とたずねた。母はちょっと困ったような顔をして、「自分でこうしたいなあと思っても、なかなかそうできなかったりするでしょ」と言った。その後、こうしたいなあと思ってもなかなかそうできない自分に出会うたび、これがそのひっこみじあんなのだなと納得した。

『広辞苑』を引くと、ひっこみ思案は「進んで物事をしたり、人前に出たりする元気にとぼしいこと」とある。また、子どもの精神保健の教科書には「集団に参加したいとか相手との交流をもちたいとかいった欲求をもちながら、参加をためらったり拒否したりしている」と定義されている。私のひっこみ思案の傾向はその後、父の転勤で三年生のときに転校することによってより強まった。

さて、五年生のときに今度は父の海外転勤に伴い、オランダの北部にある小さな市の小学校に転校した。オランダ語がわからないのにちゃんとやっていけるだろうかと出発直前まで不安だった。ところが、オランダの小学校では、私はひっこみ思案だったそれまでとはうってかわって積極的で明朗活発な少女となった。

父に連れられて初めてオランダの学校に行った日、担任の先生は笑顔で父とかたく握手をし、やがて私を連れて教室へ入った。「名前はヨシコ」と紹介された。するとクラスのみんなは大笑いした。そして、「ヨシコ」のフラットな発音がオランダ人にはなじみのないものらしく、「ヨシーカ」「ヨシキーカ」と口々に練習しだした。その大騒ぎの様子を緊張して見ていた私は、何となく素朴で暖かいものを感じて、これはどうにかうまくやっていけそうだなと思った。

転入の数週間後にクリスマスの劇が、市内のいくつかの小学校の生徒を集めて合同で行われた。劇を演じたのは生徒ではなく市内の小学校の有志の先生方だった。最初私にはわからなかったのだが、クラスメートたちがMeester（先生）と指さして教えてくれるのでようやく気がついた。先生方の熱演に生徒たちが笑い転げて観劇が終わると、最後にサンタクロースが舞台にあらわれた。各小学校から代表の生徒が何人か舞台に上がり、サンタクロースからじきじきにキャンデーやチョコレートのお菓子をもらった。わがクラス代表のクリスティンが舞台を下りて列に戻ると、「ヨシーカ」というささやきが列を伝わり、やがて私の手元にそのお菓子が届いた。驚いて顔を上げると、クリスティンが振り返って片目をつぶってみせた。

こんなふうにして始まったオランダの小学校の生活で、私は人が変わったように明朗活発になり、それは二年後の日本への帰国の日まで続いた。

このような文化環境の変化による個人のパーソナリティの変化はめずらしいことではない。たとえば、我妻・原[1]はアメリカに留学した日本の若い女性に、今までの「ひっこみ思案」や「おとなしさ」が薄れて、はっきりと自分の意見を述べ感情の表出も率直で豊かになることが広く観察されると述べる。そしてその理由として、留学した若い女性がもともと独立心や自己主張の強い性格の持ち主であったが、日本の文化が女性におとなしく静かで控えめな役割行動を期待していたためそう行動していたのではないかと考察している。

しかしながら、当時一一歳の私が日本の伝統的な女性の役割行動にしたがって生来の性質を抑えていたとは考えにくい。私は、異なる文化を持つ社会への移動による子どものパーソナリティの変化は、むしろ自己と、これまでとは異なる対人関係のあり方を内包する文化環境との相互作用の結果であろうと思う。

自己の意志や気持ちを表現すればかなりの確率で他者にそれが受け入れられることが明らかになったとき、人ははじめはおずおずと自己表現を始める。またそれが継続的に受け入れられていくことにより、やがて率直に自己表現し、積極的、元気に行動できるようになるのであろうと思う。逆に、自己の意志や気持ちを表現するたびに、周囲から拒否されたり叱られたりすれば、おのずと自分を抑えるようになるであろう。

オランダ語の習得とともに、私はオランダ人のコミュニケーションの基本的なあり方を先生やクラスメートのさまざまな状況でのやりとりから学んでいった。日本では友だちの家でおやつや食事をすすめられたり、どこかへ一緒に遊びに連れていってあげると言われてもまずは遠慮するのが無難であるが、オランダではともかく素直に感謝を表すこと。また、うれしいことやいやなことがあったとき、日本ではとにかく目立たぬよう周囲に配慮して本音を隠した無表情がいちばんあたりさわりがないが、オランダでは喜びや悲しみ、時には怒りの感情を率直に出してもよいこと。さらに日本の小学校では高学年ともなると先生に直接質問する子どもはあまりいないが、オランダではよくわからないことがあれば授業中活発に質問をしたり、先生の指示や学校のきまりの理由についても臆せずにたずねてもよいことなど。

これは、自己抑制的な日本人とは対照的に、子どもの自己主張の発達に価値をおくオランダ人の対人行動のあり方である。

文化と自己主張

前節で日本人とオランダ人の対人行動のあり方が対照的であることを見たように、個人の対人関係における自己表現は、その個人が属する文化の対人関係の価値によって枠づけられている。これまで、日本人の対人関係における自己表現については、あいまいであること、相手の属性（社会的地位、年齢、性など）や場面によって変化するように状況主義的であること、ことばそのものの表現よりも微妙な表情や素振り等の非言語によるコミュニケーションに依存する部分も大きいことなどが指摘されてきた。このようなコミュニケーション様式においては、メッセージの伝達に責任を負うのは送り手よりも受け手である。ゆえに、日本ではオブラートに包まれたメッセージから、いくつかの手がかりを基に、送り手の正確な意図を読み解くことのできる聞き手が尊重されてきた。日本人の場合、メッセージの送り手の明白な自己主張、すなわち自分の意志や気持ちを受け手が誤解することのないように、正直に正確に表現することはむしろ、あつかましい、くどいなど無礼で野暮であるとされる傾向にある(2)。

このようなコミュニケーション様式は、対人関係における自己主張自体についての捉え方に根ざしている。自己主張は日本人の対人関係においてタブー視され、自己主張をする人は自己本位であると考えられてきた。率直な気持ちの表出においてすら日本人は抑制する傾向にある。たとえば、アメリカで初めて訪れた家で「アイスクリームはいかがですか」とたずねられて、ちょうど空腹であったにもかかわらず、欲しいということができず、相手がもう一度聞いてくれることや、遠慮している気持ちを察してアイスクリームを出してくれることを期待した、というような記述を読むとき、共感できる人も多いのではないだろうか。[3]

一方、対人関係における自己主張に価値を見いだしているアメリカでは、さまざまな場面で自己の意志を表現し、実現する自己主張トレーニングの指導書が書かれている。アメリカでは自己主張できることを、安定した精神状態や幸福な社会生活に不可欠なものとして捉える傾向にある。なかには、高齢者の精神衛生と自己主張の関わりについて論じたものもある。そしてこれらの指導書では自己主張をする対象が、家族や友人などごく身近な人から、権威者（上司、先生など）、客の立場からサービスを提供する側に対して（たとえばレストランや店の従業員、例・お店で買物をしておつりが足りないことに気付いたとき、お店の人に言って返してもらうことができる）、見知らぬ人（たとえばお店などで順番を待って列に並んでいて割り込む人がいるとき自分が先に並んでいることを知らせる）にまで多岐にわたっている。そしてそのこと自体、日本人とは対照的に、場面を越えて自己のパーソナリティの一貫性を示すことをよしとするアメリカ人の対人関係のあり方の特徴を裏付ける。また、これらの指導書は自己主張の苦手な人にあくまでコミュニケーションスキルとしての自己主張を身につける方法を指南しているのであって、日本人のように個人が対人場面において自己主張すべきか否かの是非の葛藤を前提としていない。

アメリカ人は自己主張を尊重するが、その自己主張（アサーション）は同時に他者の権利の尊重を前提としており、他者を傷つけることを意図した、または他者の権利を否認する行動である攻撃性（アグレッション）とは明確に区別しようとしている。私自身の経験からも、アメリカの大学院では、自己主張の際に直接他者に批判をぶつけるような表現ではなく、相手の主張をまず認め、それから自分の意見を述べるというプロセスが奨励されていた。目に余るような攻撃的な学生には、先生が一方的な意見であることを指摘したり、別の視点からものを見ることを提案するなどして牽制していた。

日本の学生と自己主張

対人行動のなかでも、ことに自己と他者の関わりにおける自己主張のあり方は文化によって大きな違いがある。海外で育てられた日本人の帰国子女が、帰国後の再適応でぶつかる日本文化の壁も、この自己主張に対する捉え方の差異が要因であることが多い。

異文化のパーソナリティに及ぼす影響を見た研究のなかに、帰国子女と海外経験のない一般学生の対人場面における自己主張を比較したものがいくつかある。帰国子女が一般学生に比べてより自己主張する傾向にあることや、帰国学生が他者の自己主張に対してもより容認する傾向にあることがわかっている。[4] 日本で考えられている自己主張と帰国子女の考える自己主張との間の質的な違いとして、一般学生は自己主張を攻撃的要素を伴うものと考えているのに対し、帰国子女は人の気持ちを尊重することや、自分をアピールすることも自己主張の範疇に含み、気持ちの表出として自己主張を捉えていることが報告されている。[5]

また、権威者（たとえば先生）に質問をすることも自己主張のひとつの構成要素であるが、日本の大学生が授業中、先生に質問しないことを分析した調査研究[6]から、質問をしない学生は、質問することによって周りの人々との調和を乱したくないと考える傾向にあることが明らかにされている。

以上のように、日本人の対人場面における自己主張については、攻撃性と混同されていたり、自分の意志や気持ちをきちんと表現することは含まれないことが認められる。また自分の気持ちを表出しないがゆえに、人の気持ちの率直な表出についても否定的な見方をする傾向が認められる。

ことに女の子の自己主張については、男の子以上に世間の風当たりが強い。以前に私は女子学生の対人場面における自己主張についてのアンケート調査[7]を行った。その結果によると、母親の性別しつけ（男の子は男らしく、女の子は女らしく育てる）が緩やかな場合には、女子学生の自己主張が強くなること、個人主義的な傾向が高い場合には自己主張が強くなることが明らかになった。また対人関係において、あいまいな自己表現、状況主義的な傾向などの日本的なコミュニケーション様式を支持しない場合には自己主張が強い傾向にある。

つまり、伝統的な女らしさを娘に望む性別しつけや対人行動の日本的文化価値と、自己主張は相容れない。さらには、女子学生が自分の自己主張的な態度に不満を持ち、自己主張した場合にはその後の人間関係が悪くなることを予想していることすらも示唆された。このように、上記の調査結果からは女子学生は自己主張に対して非常に懐疑的で、対人的に過剰配慮ともいえる気遣いをすることが考察された。

このほか、女子学生と自己主張については、自己主張をしたばかりに仲間から排斥され、それ以後自分の意見が、友だちと違っているときも言えなくなってしまった事例などの報告[8]がある。

自己主張と自己抑制の二つの側面

以上のように、日本人は対人関係において自己主張することについて、心理的抵抗を持つ。

反対に、対人関係において、自己抑制は伝統的に日本の文化・社会のなかで非常に重んじられてきた。自己抑制は人に迷惑をかけないようにする、人に気を使って遠慮をする、人のために自分は我慢をする、ルールを守り、目上の人に対して従順であることなどを含む。この傾向は、相互協調的自己観[9]（物事について考え、実際に行動する際の準拠枠）に基づき周囲に気を使い、迷惑をかけないことを重んじる伝統的な日本の文化の対人関係に根ざしていることは事実であろう。しかしながら、それだけではなく、私は日本人の自己主張に対する心理的抵抗は、対人関係における自己主張と自己抑制の関わりについての捉え方に根ざしていると考えている。

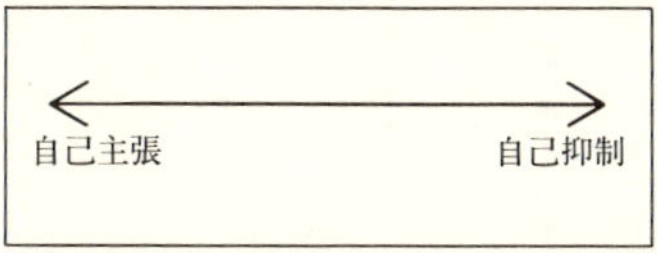

図１－１　一元的に捉えられる自己主張と自己抑制

　それでは、対人関係における自己主張や自己抑制は本質的に何を意味しているのだろうか。幼児期の自己の発達の実証的研究を基に、柏木は、「自己主張・実現」とは「自分の欲求や意志を他人や集団の前で表現し、実現すること」であり、「自己抑制」は「自己の欲求や行動を制すべき時に抑えること」であると定義している[10]。

　一般的に、日本では自己主張と自己抑制は一元的尺度で捉えられることが多いのではないだろうか。そこでは自己主張の強い人イコール自己抑制の弱い人となる（図1-1参照）。日本人の自己主張が強い人に対するステレオタイプ（固定概念）のイメージは、自分のことばかり優先して協調性がなく、我慢のきかない人である。自己主張と自己抑制がひとりの人間のなかで相容れる可能性があるとは到底考えられていない。

しかしながら、いくつかの実証的研究から、実は自己主張と自己抑制がひとりの人間のなかでともに発達することが明らかにされている。

たとえば、前出の柏木は幼児の他者との関わりにおける自己の行動のコントロールを二元的尺度で捉えており、子どもの社会性を育てるには、自己主張と自己抑制の二つをともに発達させることが重要なのであるとしている。

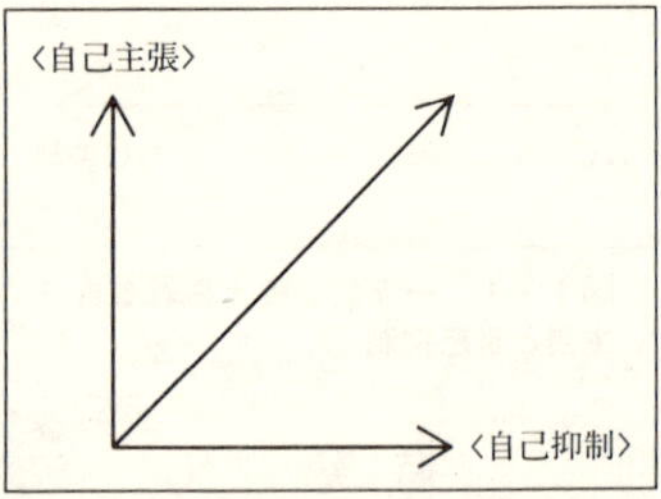

図1－2　二元的に捉えられる自己主張と自己抑制（二宮、1995、文献(11)を改変）

またもう少し年齢が上の層である小学生や中学生を研究対象とした二宮[11]の社会性の調査では、社会性には「他者と協調する側面」（調和）と「自己の要求を実現する側面」（独自性）の二つの側面があることを論じている。そして、社会的行動はこの「調和」と「独自性」のバランスで決められるとし、そのモデルを提示している（図1-2参照）。他者との葛藤場面において、「調和」の強い個人は自己抑制的な方略を、「独自性」の強い個人は自己主張的な方略をとる傾向があると予想している。

つまり自己主張と自己抑制はひとりの人間のなかでともに育つ、その両方の側面を同時に発達させることが可能であることが示唆されている。

次に、自己主張と自己抑制の組合せによる四つのタイプについて見る。

自己主張と自己抑制——その四つの型

対人場面における自己の発達には、自己主張と自己抑制の二つの尺度の高低の組合せにより、四つのタイプが考えられる。

前出の柏木および、五歳児を対象に向社会的行動（思いやりを示し、仲間を援助する行動）について研究した伊藤[12]や、二宮の研究を発展させた首藤[13]も、「独自性」（自己主張）と「調和」（自己抑制）のバランスによって、四つのタイプを設定している。すなわち、図1－3に示したように、
①自己主張のレベルも自己抑制のレベルも両方が高いタイプ
②自己主張のレベルは低いが自己抑制のレベルは高いタイプ
③その逆で自己主張のレベルは高いが自己抑制のレベルが低いタイプ
④自己主張のレベルも自己抑制のレベルも両方が低いタイプ

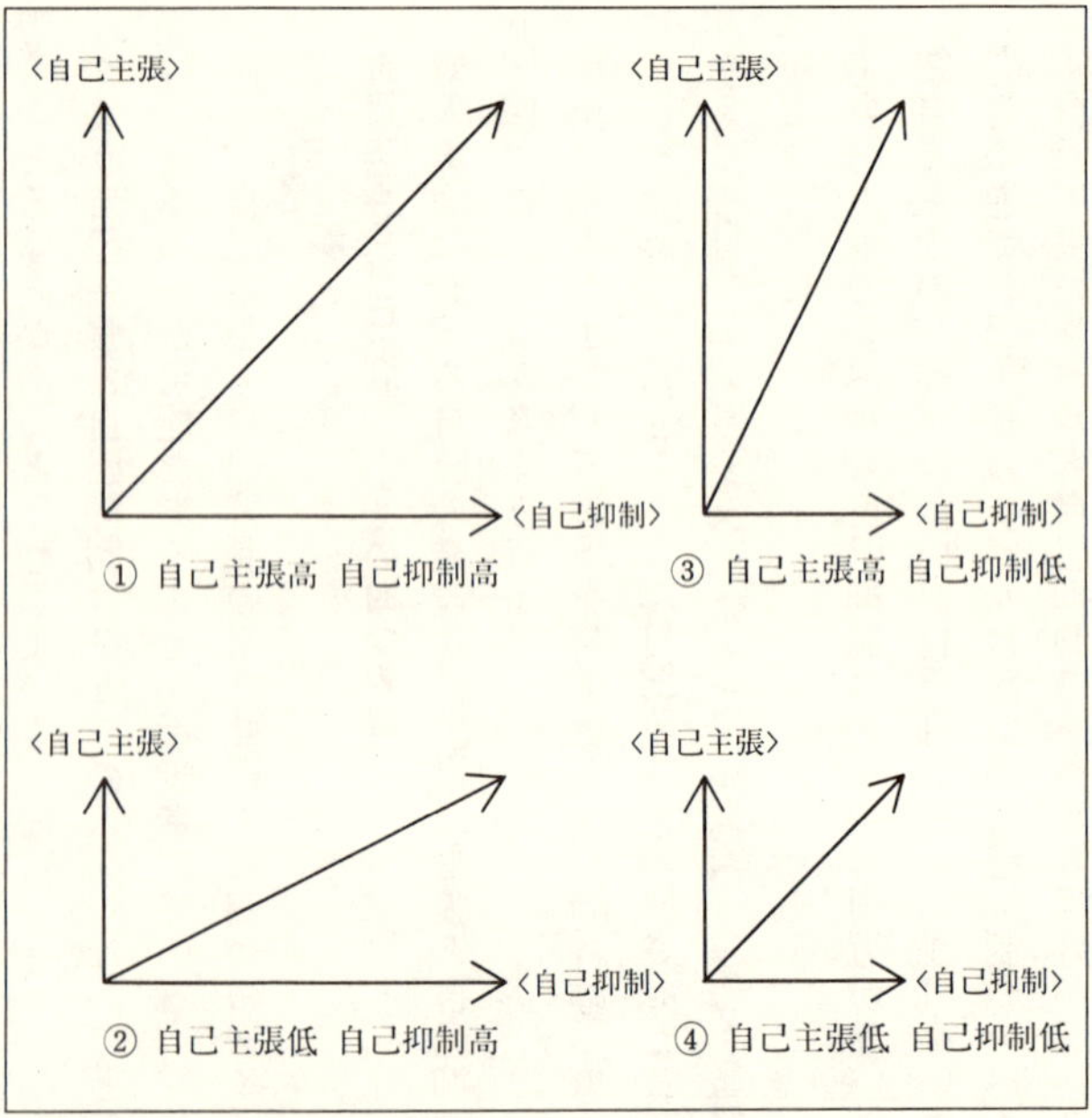

図1－3　自己主張と自己抑制のバランスによる四つのタイプ（二宮、1995、文献(11)を改変）

の四タイプである。

さて、小・中学生を対象とした首藤の調査によれば、「円滑な対人関係がとれ、その中で自己の要求を実現できるたくましい社会性」との関わりは、独自性と調和のともに高い①のタイプがもっとも高く、次に②のタイプ、③のタイプと続き、独自性と調和のともに低い④のタイプは低い傾向にあることを見いだしている。そして、調和と独自性という二つの力をともに強く有することが、行動面においても適応的な社会性を発揮すると論じている。また前出の伊藤の研究でも、①のタイプは自発的な向社会的行動を多く行っていることが見いだされている。

そうであるとすれば、前節に述べた、一元的尺度で捉えられるステレオタイプの自己主張が強い人はおそらく次のような人ではないだろうか。たとえば、みんなが順番を守ったり全体のために自分の役目を果たしているときにも我慢をしない。独り占めをしたり感情をすぐに爆発させたりする。それでいて、自分のやりたいことや権利を主張する面だけが強い。このような人は周囲から反発を招くことは必然的である。けれども、①のタイプのように、自己主張も強いが、協調性や我慢強さもあるということであれば、リーダーシップもとれるだろうし、仲間からも受容されるだろう。

こうして実証的研究を通じて明らかにされたことは、ステレオタイプのイメージで捉えられてきたのとは反対に、自己主張をする子どもは仲間から受け入れられないわけではないということである。むしろ、自己を抑制すべき場面で自己抑制することができるのであれば、自己主張できる方が仲間関係において適応もよく、能動的に思いやりを発揮できることがわかる。

自己主張・自己抑制の構成要素

さて、ここで、子どもの自己主張と自己抑制の具体的な中身、その構成要素についてもう少し詳しく見る。

前出の柏木は幼児期の自己主張・実現の下位カテゴリー（ひとつの尺度についてより詳しく見たときのカテゴリー）としては、①「独自性・能動性」（例・他の子に自分の考えやアイディアを話す）、②「遊びへの参加」（例・入りたい遊びに自分から入れてと言える）、③「拒否・強い自己主張」（例・いやなことははっきりいやと言える）の三つを挙げている。また、自己抑制の下位カテゴリーとしては、①「遅延可能」（例・遊びのなかで自分の順番が待てる）、②「制止・ルールへの従順」（例・してはいけないときがあることがわかり、やめる）、③「フラストレーション耐性」（例・悲しいこと、くやしいこと、つらいことなどの感情をすぐ爆発させずに抑えられる）、④「持続的対処・根気」（例・課せられた仕事を途中で放りださないで、最後までや

り通す）の四つを見いだしている。(10)

また、山岸は、調和（自己抑制的）に関する構成要素として、①「共感性」（例・泣いている子を見ると自分まで悲しくなる）、②「向社会的コンピテンス」（例・悲しそうにしている人を、はげますことができる）を、独自性（自己主張的）に関する構成要素として、①「自立感」（例・何をしたいか、何をするかは自分で決める）、②「自己効力感」（例・いろいろな場面でどれくらいうまくやっていける自信があるか）を挙げている。(14)

このように、自己主張と自己抑制の構成要素を対比させると、自己抑制の構成要素は見てのとおり、伝統的な日本人の文化価値と一致するものが多い。

そして、自己主張の具体的な中身を見ると、今日の日本の教育現場で顕在化しているさまざまな問題を考える際に重要と思われる事柄が含まれている。たとえばいじめの問題のときに必ず取り上げられる「いやなことはいやとはっきり言えない」子ども、ひきこもりにつながる、仲間の活動や遊びに「自分も入れてと言えない」子どもなどは、自己主張の側面の発達が低い子どもであることがわかるだろうか。また、最近、子どもの指示待ち症候群が取り沙汰されるが、人から促されて行動を起こすのではなく自分から進んで行動を起こす自発性も自己主張の領域に入る。さらには、創造性は日本人に欠落しがちだとしばしば論議されるが、その創造性を育むうえで不可欠である独自の考え方を持つことやその自己表現、これらの能動的な行動特性を可能にするのはすべて自己主張の側面の発達であることが見えてくる。
このように自己主張と自己抑制を対比することによって、子どもの対人関係における自己の発達において、自己主張の側面の発達を育むことが、自己抑制の発達を育むのと同じくらい重要であることが鮮やかに浮かび上がる。

文化と自己主張・自己抑制の関わり

さて、自己主張と自己抑制はひとりの人間のなかでともに育つと述べた。また、ひとりの人間のなかで、自己主張と自己抑制のアンバランスがあることについても述べた。さらに、国際比較をすると、文化によっても自己主張と自己抑制のどちらの側面をより重視するかということには差異があることが明らかになる。つまり個人ではなく文化の単位で捉えても、自己主張と自己抑制の発達のアンバランスは存在する。自己主張と自己抑制の発達のバランスもまた文化相対的である。

日米比較をすれば、さきに述べた自己主張と自己抑制の高低の組合せによる四つのタイプのうち、たとえば日本では②のタイプ（自己主張が低く、自己抑制が高い）が③のタイプ（自己主張が高く、自己抑制が低い）より、全体に占める割合も多く、これまでは学校生活において適応もよいことがわかっている。[15] 反対にアメリカでは恒吉[16]の論ずるように、自分を抑え人との協調をはかることは集団への埋没、服従であり個性を犠牲にするという見方が優勢である。

言い換えると、日本では自己主張が高く自己抑制の低いこと（③のタイプ）が、アメリカでは自己主張が低く自己抑制が高いこと（②のタイプ）が、子どものしつけや教育の問題点となる。つまり③のタイプの日本の子どもや、②のタイプのアメリカの子どもは発達のプロセスにおいてつらい思いをすることになる。それぞれの文化の社会化の方向性から子どもが逸脱することに対する親や教師の対応は厳しい。極端な例を挙げると、幼児の自己表現や自己主張をすべてわがままとして押しつぶしている日本人の母親もいる。アメリカの子育ての例では、自己主張の側面の発達の弱い自分の子どもを長年叱咤激励して子どもの気持ちを傷つけ、自己形成を歪めてきたと深く反省している親がいる。

このように、子どもの発達の国際比較は、単にそれぞれの文化のモダールパーソナリティ（その文化のなかでもっとも多いパーソナリティタイプ）や子どもの自己の形成の特徴を明らかにするにとどまらない。それは、子どもの自己の発達がいかにその社会の大勢が志向するパーソナリティのあり方との一致・不一致によって評価され、また矯正されているかを映し出す。

私はイギリスの文化と日本の文化を比較し、そのうえで両国の幼児の対人場面における自己の発達、とりわけ「自己主張」と「自己抑制」の発達に焦点を当てて比較したいと思う。さきに、日本では自己主張と自己抑制の捉え方が一元的であると述べた。自己主張の強い人間は自己抑制のきかない人間であると思われがちであると。同様に、アメリカ人もまた別の意味で自己主張と自己抑制の捉え方が一元的であるといえるのではないか。ただし、日本人とは逆に自己抑制の強い人間を自己主張が弱いと捉えているという意味において。

これについては第二章で詳しく述べるが、私は、子どもの自己の発達を自己主張と自己抑制の二元的尺度で見ているのはイギリスであると考える。これまで子どものしつけや発達に関する日本とアメリカの比較研究にはかなりの蓄積があるが、日本とイギリスを比較したものはごくわずかであり、日本とイギリスの比較はより多角的に子どもの発達を捉えることにつながると考える。

第二章　イギリスとアメリカと日本

イギリス人とアメリカ人

日本とイギリスの文化比較に入る前に、日本では欧米人としてひとくくりにされることの多いイギリス人とアメリカ人のパーソナリティの違いについて探ってみよう。周知のように、アメリカはイギリスからの移民によって建国され、アングロサクソンの伝統、ピューリタンの宗教の影響、個人主義の発達、独立的自己の形成など、両国には共通項も多い。しかしながら、イギリス人とアメリカ人のパーソナリティには、また差異も多い。それをここで述べておくことは、本書の日英比較の輪郭をより明確にすると思われる。

私はアメリカの大学院で学び、日本に帰国し、数年後に今度はイギリスに滞在する機会に恵まれたが、最初はイギリス英語がわかりにくかった。わかりにくいのは英語だけではない。イギリス人のパーソナリティ、文化規範。あれほど日本人との対照性が明瞭だったアメリカ人のパーソナリティや文化規範と比べると、つかみどころがない。イギリス人とアメリカ人のパーソナリティはどこがどう異なるのか。これはアメリカを経由してイギリス文化に触れ、イギリスと日本の幼児期のしつけの比較を博士論文のテーマに選んだ私にとってはいつも頭を離れない疑問であった。そんな私が試行錯誤しながらイギリス人のパーソナリティ、文化規範をどう捉えていったかを振り返ってみることにする。

まず最初に、イギリス滞在当初に垣間見たイギリス人とアメリカ人のパーソナリティの違いを物語るエピソードをいくつか紹介したい。
ロンドンのツーリスト向けの簡素なホテルの食堂で朝食をとっていると、片隅から言い争いが聞こえてくる。パワーブレックファスト（朝食をしながら商談すること）だろう。そのうちに、アメリカ人のひとりが声を荒げた。「あんたはおれをペテンにかけるつもりか」。イギリス人はこんなときどう切り返すのだろうか。私は思わず聞き耳を立てた。しかしながら、二人のアメリカ人のビジネスマン相手に、イギリス人の方はただ困惑した表情を向けるだけである。「なぜイギリス人の方は何も言い返さないのだろう？　よほど分の悪い立場にあるのだろうか？」そんな疑問が起きるほど、イギリス人の方は黙ったままで何も反論しない。

日本から来た知人を、テームズ川の河畔にあるパブに案内したときのことである。知人は、シャーロック・ホームズでも出てきそうなクラシックな店の雰囲気に感激して、店内でみんなで記念写真をとりたいと言う。そこで、カウンターの髭をたくわえたイギリス人のウェイターに一緒に写ってくれないかと声をかけた。ところが、彼ははにかんで絶対いやだと言う。アメリカ人なら「Sure！（いいよ！）」と気軽に応じてくれるところである。

イギリスでは、お店やバスなど乗り物の順番を待つときに一定方向に列を作ってきちんと待つ。これは make a queue といって、first come, first served（最初にきた人が優先される）のルールに基づいている。図々しい人が得をする、またはお店の人が顔見知りの人を優先したりするということがない。イギリス人は沈鬱な表情で我慢強く、誰ひとりとして文句を言わずに待っている。当たり前のようでいて、イギリス人ほどこのルールをきちんと守る国民を私は他に知らない。

このように、まず気がついたのはイギリス人はアメリカ人と比べて感情の抑制が強く、内気であり、我慢強いことである。

第二に、イギリス人とアメリカ人は外国人の受け入れ方に大きな違いがある。イギリスに住み始めた頃には、ホームパーティ好きなアメリカ人の陽気なホスピタリティを思い出して、少し淋しい思いもした。アメリカ人の友人は気軽にキッチンに招き入れてくれて、「どうして日本人はそんな風にするの？　こうすればもっと時間と手間が省けて簡単じゃない？」とアメリカ流の合理的な料理や家事の仕方を教えてくれた。それと対照的に、イギリスでは一、二度近所のご婦人方がお茶に招いてくれた以外は、あいさつを交わす程度のつきあいである。

アメリカ人が外国人をアメリカナイズすることに熱心であるのとは対照的に、イギリス人は外国人のイギリス化にあまり興味を持たないと言われる。[1]みずからイギリス化しようとする外国人に対しては、むしろシニカルな見方をすることとすらある。実際、イギリス人と外国人の交流は少ない。すると外国人にとって、イギリスの文化規範や対人関係のあり方をイギリス人とのコミュニケーションから直接学ぶ機会は少なくなる。

そして、イギリスでは外国人を社会化する場合でも、あいまいな教示という方法による。それはアメリカ人の明瞭で矯正的な方法とは非常に対照的である。[2]そのうえ、イギリスでは文化規範に暗黙の了解や不文律が多く、これらは移民や外国人にとっては非常にわかりにくい。

第三に、イギリス英語とアメリカ英語の違いである。イギリス人はアメリカ人と比べて、声高に話すことを好まない。ことに、中産階級の人は小声でささやくように話す。イギリス人はノイズレベルの低い、静かで落ち着いた社会ほど成熟度が高いと見ているからである。[3]アメリカ人の喜怒哀楽の表現が明らかなシンプルな英語に対し、イギリス人はもってまわった言い方の、含みのある英語を話す。イギリス英語に特徴的なのは間接的表現である。イギリス人は日本人のあいまいで丁寧な表現を高く評価しているといわれるが、それは、イギリス人もまた間接的表現を好むからである。なにかものをたずねたりお願いごとをするとき、あるいは申し出や招待をことわるときなどの自己主張の状況でこそ、あいまいで丁寧な表現でオブラートに包むことが多い。アメリカ英語と比べて、付加疑問文、二重否定の多用が顕著である。そしてまた、この傾向も中産階級により多く見られる。具体例を挙げよう。

ある日、通りを隔てた家の奥さんがドアのベルを鳴らした。日頃あいさつを交わす程度で、あまりつきあいもないのであるが、彼女は開口一番、家を貸すことを考えているという。そして次のように続けた。

I am not so rude as to ask you how much rent you are paying for this house.

直訳すれば、「私はあなたがいくら家賃を払っているかたずねるほどぶしつけではないわ」であるが、要するに彼女は自分が家を貸すときの目安として、通りひとつ隔てただけの我が家の家賃が知りたかったのである。

また、ロンドン北部にハムステッドという町がある。地下鉄の駅を降りると緩やかな坂道のメインストリートにはアンティークの家具屋や画廊や、ブティックやレストランが並んでいる。通りを一本横道に入ると、著名な小説家や詩人にゆかりのある家が点在する落ち着いた高級住宅街になる。ある日のこと、私はここで人と待ち合わせをし、まだ少し時間があったので絵はがきを数枚買ってから、おいしい紅茶を出す店に入った。店は込み合っていたが、片隅に午後のお茶を楽しんでいる老婦人が二人いて、イギリスではめずらしいことだが、お店の人が相席でもよろしいですかと案内してくれた。手持ち無沙汰の私は、バッグから絵はがきを取り出して眺め始めた。すると、老婦人たちはもじもじと落ち着かなくなった。そしてそのうちのひとりが思い余ったように、

Did you have nice shopping today?（あなたは今日いい買物をしましたか?）

とたずねた。私はブティックの紙袋ひとつ下げているわけではないので、妙なことを言われると思い、つい、「いいえ」と答えてしまった。ロンドン在住の日本人の悪評高いショッピング熱について皮肉めいたコメントでもしようというのだろうかという考えが頭を掠《かす》め、ちょっと身構えるところもあった。すると二人の老婦人は明らかにがっかりしたのである。店を出てからはたと思いついた。あの人たちは、私の買った絵はがきを見せてほしかったのである。それを話の糸口にしようとしたのかもしれないと。アメリカ人なら、

Can I see the pictures?（絵はがき見せてくれる?）

あるいは丁寧な表現でも、

Do you mind if I take a look at the pictures?（絵はがきを見てもかまいませんか?）

であろう。私は、イギリス人は何という抑制のきいた遠回しの表現をするのかと思い、また

自分の鈍感さを悔やんだ。

さて、イギリス人のパーソナリティがなぜこれほどわかりにくかったのだろうか。それは上記の外国人、外国文化に対するイギリス人のスタンスや、間接的表現だけによるものではない。ひとつには私がはじめにアメリカ文化に馴染み、それからイギリス文化に出会ったからだろう。それは太陽を見てから月を見るようなものだった。けれどももっと根本的な理由は、私のなかにあった「英語を話す国の人々は自己主張が強く自己抑制が弱い」というステレオタイプの異文化に対する見方である。日本では欧米人としてひとくくりにされることの多いイギリス人とアメリカ人だが、表層的な行動特徴や自己表現のレベルではなく、おそらくもっと深いところでイギリス人とアメリカ人のパーソナリティには大きな違いがあるのではないだろうか。次第にそう考えるようになった。

図書館でパーソナリティの英米比較の文献を読む日が続いたある日のこと、ロンドン大学の地下のカフェテリアで、同じテーブルについたイギリス人の修士課程の学生にたずねてみた。「イギリス人はアメリカ人と同じ英語を話すけれど、やはりパーソナリティも似てるのかな?」。すると彼は「イギリス人とアメリカ人が似ている? そうだなあ、我々はアメリカ人よりははるかに日本人に似ていますよ」と言う。「イギリス人と日本人が似ているですって?」と私は聞き返した。このイギリス人学生のその先のコメントがふるっている。「いったい何だって文化比較なんて興味があるんですか? イギリスと他の国を比べることに何の意味があるんです?」

けれども、このやりとりから私はひとつのヒントを得た。そもそもイギリス人とアメリカ人を「自己主張が強く自己抑制が弱い欧米人」というひとくくりのステレオタイプで捉えようとしていること自体がひどい間違いなのではないか。イギリス人は物静かではあるが、その主張は有無を言わせないほど強い。ところが自分を抑えるところは抑えることが多い。イギリス人は、同じく英語を話すアメリカ人とはまったく異なる対人関係の自己主張と自己抑制のバランスを持つのではないだろうか。そして、私はようやく次の仮説にたどり着く。

日本人とイギリス人とアメリカ人——その自己主張・自己抑制のバランスの類型

対人関係における自己主張と自己抑制のバランスで日本人、イギリス人、アメリカ人を非常に単純に類型化するならば、自己を主張すべき状況と自己を抑制すべき状況で、「自己主張が低く自己抑制の高い」日本人、「自己主張が高く自己抑制も高い」イギリス人、「自己主張が高く自己抑制が低い」アメリカ人ということができるのではないだろうか。もちろんこれにはすべての類型化が持つ欠点があり、この単純化された図式に当てはまらない例外は多い。むしろ三つの国の対人行動の基本的なあり方を大摑みにするひとつの試みといった方がいいかもしれない。

つまり、イギリス人は自己主張も強いが、自己抑制も発達している。少なくとも三つの国のなかで唯一、自己主張と自己抑制の両方の重要性を認めてきた。たしかに、自己抑制の高さということでは日本人とイギリス人には共通点が見いだされる。するとさきのロンドン大学の学生と私のやりとりもつじつまが合うのである。前節に述べたエピソードに見たように、そもそも間接的表現を好むこと自体、イギリス人の対人行動における抑制の高さを表している。自己主張の高さということでは、イギリス人とアメリカ人は共通点を持つだろう。ただしその表現方法には大きな違いがあるが。そして自己主張はたしかに強いが、また抑制もきいているために、イギリス人の自己主張はアメリカ人とは印象やそのあり様が異なる。

そして三つの国のうちで自我がいちばん強いのはイギリス人ではないだろうか。三国間の比較をした研究はあまりないので、私はアメリカ人とイギリス人、アメリカ人と日本人、イギリス人と日本人の比較研究の文献から類推を試みた(4)。比較研究が行われた時期にもばらつきがあり、またその比較の尺度を開発したのはほとんどアメリカやイギリスの側の研究者であるので、文化的バイアス(この場合は欧米の文化の価値態度に偏る傾向)がかかり、日本人にとっては不利なデータが含まれている可能性もあるのだが、その結果からはイギリス人、アメリカ人、日本人の順で強い自我を持つことが示唆された。イギリス人は孤独への耐性が強いのも特徴的である。

ここで私は三つの国のうちでどの自己形成が優れているとか劣っているとか述べるつもりは毛頭ない。自己形成に文化が及ぼす影響を解きあかすには、それぞれの国の文化とパーソナリティのダイナミックな因果関係をまず、検討しなければならない。自己形成の三国間比較については、三つの国のパーソナリティを比較できる公平な尺度の開発から着手されるべきであり、より詳細で、系統立てた大がかりな調査が不可欠であると思われる。そして、自己形成のより客観的で全般的な文化比較をするには、自己主張と自己抑制の尺度だけでは測れない別の変数（要素）をも網羅する必要がある。ただ、自己主張と自己抑制というものさしだけで日本、イギリス、アメリカの三つの国を単純に比較したときには、上述のようなことがいえるのではないかと考える。

日本人とイギリス人

前節ではイギリス人、アメリカ人、日本人の比較から、アメリカ人が子どもの自己主張を、日本人が子どもの自己抑制を育むことに主眼点をおいているのに対し、イギリス人は自己主張と自己抑制の両方を育む傾向にあるのではないかと述べた。

さて、イギリス人が自己主張と自己抑制の二元的尺度で人の発達を見てきたことは、実は以下の明治時代と昭和初期にイギリスに在住した日本の知識人の考察においてもすでに論じられている。

夏目漱石は「私の個人主義[5]」のスピーチのなかで次のように述べている。

「御存じの通りイギリスという国は大変自由を尊ぶ国であります。それほど自由を愛する国でありながら、またイギリスほど秩序の調った国はありません。実を言うと私はイギリスを好かないのです。嫌いではあるが事実だから仕方なしに申し上げます。あれほど自由でそうしてあれほど秩序の行き届いた国は恐らく世界中にないでしょう。日本などは到底比較にもなりません。しかし彼らはただ自由なのではありません。自分の自由を愛するとともに他の自由を尊敬するように、小供の時分から社会的教育をちゃんと受けているのです。だから彼らの自由の背後にはきっと義務という観念が伴っています。」

また、池田潔はイギリスのパブリックスクールの「自由と規律[6]」の精神を描いている。

「正しい主張は常に尊重され、それがために不当の迫害をこうむることがない。如何なる理由ありても腕力を揮うことが許されず、同時に腕力弱いがための、遠慮、卑屈、泣寝入りということがない。あらゆる紛争は輿論によって解決され、その輿論の基礎となるものは個々のもつ客観的な正邪の観念に外ならない。私情をすてて正しい判断を下すには勇気が要るし、不利な判断を下されて何等面子に拘わることなくこれに服すにも勇気を必要とする。彼等は、自由は規律をともない、そして自由を保障するものが勇気であることを知るのである。」

このように漱石や池田は、イギリス人が自己主張と自己抑制の両方を、言い換えれば個人の自由と集団の秩序の両方をいかに育んできたかを明らかにしている。

それではなぜ同じ島国である日本とイギリスで、日本人が自己抑制のみを重要視し、イギリス人は個人の自由と集団の秩序の両方を調和させることが可能なのであろうか。

これについては森嶋通夫の『続　イギリスと日本』に書かれた考察がある[7]。

「この両国の民族は共に島国特有の閉鎖的で内向的なパーソナリティをもつが、この島国の中でどのようにして和を保つかという点で両国間に大きな相違がある。日本では年長者や他人の意向を忖度《そんたく》しなければならず、事理は筋がたっているだけでは通らず、且つ和やかに議事を運ばなければならない。このような社会では論理主義、個人主義は育たず心情主義となる。一方、英国社会では人と人との間に適当な距離を開け、個人の意志の自由を守る。」

子どもの学習の動機についてのイギリス、日本、インド、ナイジェリア、スリランカ、マレーシアの六ヵ国の国際比較調査がある。このプロジェクトのイギリス側の研究者であったロンドン大学教育研究所のアンジェラ・リトルは、学習動機に「重要なる他者（両親など）からの関心・圧力」を含めることを、アジアの研究者たちが主張しなければ、イギリス人研究者には思いもよらなかったと述べている(8)。自己と他者の心理的距離の日本とイギリスの違いを表す一例である。

この、日本人が論理主義、個人主義のイギリス人と比べて多分に心情的であるという点については、BBC日本語部長であったトレバー・レゲットも、日本の裁判の判決がイギリスと比べて心情的であると指摘している(9)。

「ひとたび表面から少しでも下に入りこむと、イギリス人の目には、日本は情緒の国とうつる。……日本では公的な生活においてさえも、感情が非常に大きな役割をはたすことを知って、私は何度も目を丸くしたものである。」

日本の社会について、東《あずま》は(10)、相互依存的な役割社会であり、人間関係が大切で、人間関係を円滑にするためには、理を通すよりも人の気持ちを理解することが大切であると述べる。気持ちを理解することで連帯感が高まるとし、これを日本人の「気持ち主義」と名付けている。そして、NHKとBBCによるドキュメンタリー番組の同じ情景に対するナレーションの比較からも、NHK版は実感を込めた語り口で情緒的、BBC版は意見や事実情報を即事的に示していて論理的な印象を与えることを紹介している。

実証的研究では、りんごの木とひとりの少年の生涯にわたる交流を描いた、シェル・シルヴァスタインの『おおきな木』という絵本について、七歳から一七歳までの日本とイギリスの子どもに書かせた感想文を分析した守屋の報告[11]がある。主人公が少年期・青年期・壮年期・老年期のそれぞれの時期に欲しがるものを、木はみずからの身を削って与え続けるのであるが、日本の子どもは登場人物（木と少年）に対して抱く自分の感情に基づいて「かわいそう」と同情的に、あるいは「腹が立つ」と攻撃的に評価する。これに対してイギリスの子どもたちは、登場人物を淡々と描写はするが、情緒的に評価することは少なかった。

さらに、日本の総理府の六ヵ国（イギリス、日本、アメリカ、フランス、韓国、タイ）の国際比較調査[12]によれば、母親が子どもに身につけてほしい大切なこととして、イギリス人の母親は情緒の安定（一時的な衝動をおさえ、落ち着いて行動する）を六ヵ国中もっとも高く（二八・五％）望み、逆に日本人の母親はもっとも低く（六％）なっている。

発達心理学では一般的に、乳幼児期の情緒の発達は恐れ、怒り、悲しみ、喜びなどの基本的な感情を分化させ発達させていくことをいう。他者の感情の理解は他者に対する共感、同情、思いやりの発達につながると考えられている。特に日本のように人との連帯感、協調に価値をおく相互依存的な社会では、相手の悲しみや恐れなどの負の感情を理解することが重要である。たとえば、日本の国語教育では、物語文の読解はさまざまな場面の微妙な主人公の気持ちの移り変わりを理解しているかどうかがキーポイントとなる。

ところが、イギリスの子どもの発達を調査する質問紙(13)のなかに emotional development（情緒の発達）という項目があり、その内容として confidence, self-esteem（自信・自尊心）とある。そうなるとイギリスでは情緒の発達を、さまざまな場面で感情をかき乱されずに落ち着いてふるまう堅牢な自己意識の形成に見ているのではないだろうか。

もちろんこの一例だけで判断するわけにはいかないが、日本とイギリスでは子どもの情緒の発達をむしろ正反対に捉えている感すらある。すると、イギリス人の母親が情緒の安定を自分の子どもに強く求めるのも納得できる。人前で強い悲しみなどの感情を表さずにじっと耐えることに価値をおくイギリス人の教育観である。

このように、一見内面の感情を表に出さない共通点を持つ日本人とイギリス人の心のなかはそのより所を感情に求めるか理性に求めるかで異なっているようである。そして、心情主義と論理主義の違いは、日英両国における集団主義と個人主義、言い換えれば両国における自己と他者の心理的距離の違いに根ざしているものと考えられる。

日本とイギリスで共通するものは対人関係のコミュニケーションにおける間接的表現である。イギリスではこの傾向は特に中産階級において顕著である。次の章で詳しく述べるように、イギリス人は子どもの言語による自己主張、自己表現を尊重し育む。しかしながら、同じ英語でありながらアメリカ人の直截的な表現方法とは対照的に、イギリス人はオブラートに包んだようなあいまいで丁寧な表現を好む。間接的であいまいな自己表現の方法は、人々の移動が少なく固定的で継続的な人間関係を保つ島国で、対人関係において自己を主張できるひとつの有効なテクニックであるといってもよいだろう。ただし、日本人が仮にあいまいな表現であっても、自己主張をすることに心の逡巡《しゅんじゅん》があり、結局は自己主張しないことも多いのに対し、イギリス人の場合は自己主張そのものについての迷いはないところが両国の違いではないだろうか。

私は日英比較研究の調査対象として幼児期の子どもを選んだ。あるいは読者は一つの文化のなかで成人の対人行動における傾向と幼児期の発達がそれほど深く直接的に結びついているものかどうか疑問を持たれるかもしれない。けれどもこの本の冒頭で述べたように、幼児期のしつけや教育は幼児が属する文化の対人行動の価値を驚くほど豊かに内包し、体現している。

日本の幼稚園を観察したイギリスの文化人類学者ヘンドリーは次のように述べる(14)。「幼児期と成人期との間にはさらなる社会化のプロセスがたしかに幾重にも存在している。けれども子どもが属する社会の基本的な価値は幼児期に大人から子どもへと伝えられていくのである」と。

さて、それではいよいよ、日本とイギリスの幼児教育を、自己主張と自己抑制の発達の様相を軸に、家庭教育と就学前教育機関の両方の視点から比較する。

第三章　幼児のしつけと教育の日英比較

イギリスのホテルにて

たとえば、イギリスで幼児を育てる日本人の親はどのようなイギリスと日本のしつけの違いを経験するだろうか。ある若い日本人夫婦が経験したことをたどってみよう。

T夫妻はイギリスに着いて数ヵ月後、最初のイースターホリデーに、ガイドブックを頼りにイギリスの南端にあるPという町の小さな宿屋を三泊の予定で予約した。二食付きで値段も手ごろで、食事がおいしいという宿の紹介の一行にも惹かれた。旅行の初日は悪天候で、前もって宿から送られてきたスケッチ風の地図を頼りに、公道を外れてから道に迷い、小一時間も走り続けて雨と風のなか、宿に着いた。かつてのマナーハウス（地主の家）を改造した小さな宿だった。

すでに食事を予約した六時を少し過ぎていたが、宿の女主人はちょっと考えて、「では六時半に食堂へどうぞ」といって奥へ引っ込んだ。T夫妻が三歳の息子を連れて下りていくと、明かりを抑えめにした小さな食堂には二人づれの老婦人と、窓際の席に男性がひとり、それからハイティーンの子ども二人と一緒の四人家族が他のテーブルですでに食事を始めていた。五つのテーブルでいっぱいになるような大きさの食堂だった。イギリスの食事はまずいと言われるが、それはおいしい家庭的な料理で、部屋の隅には暖炉が燃えており、食後のコーヒーはその前に運んでくれて、T夫妻はとても満足した。

翌朝、天気も回復してドライブコースを相談すると、女主人兼料理人が「今晩お子さんの食事の時間は何時にしますか」とたずねる。「五時でいかが？」と言われても何のことかさっぱりわからない。母親の目をじっと見て、「今晩はお子さんには早めに食事をさせて、夕食は大人だけで食堂に下りてくださいね」と言う。T夫人が「まだ小さいし、部屋に残しておいて何かあったら」と言いかけると、「心配はないわ。子どものベッドの枕元のインターフォンがキッチンにつながっているのでスイッチを入れておいてくだされば、お子さんが泣いたらすぐにあなたがたのテーブルにお知らせしますから」と言う。「昨夜はしかたがなかったわ。でも今日はダメ」そう言って女主人は奥に消えた。

五時に食堂に行くと、チャイルドミールと言われるメニューには、チキンのグリル、スパゲッティ、ハンバーガーのいずれかとデザートのアイスクリームがシンプルに印刷されてあった。運ばれてきたチキンはフライドポテトを添えてあって丁寧に作ってあった。子どもが「どうしてぼくだけさきにたべるの」と聞くので、しかたなく今夜のプランを説明すると、泣きわめいて少しも食べない。部屋に戻り、寝かしつけようとしたが到底無理で、結局七時の大人の食事時間になってしまった。七時半になっても眠らない。ついにT夫人はあきらめて夫にひとりで食べてきてくれるように言った。T氏は下りていって、三〇分ぐらいで戻ってくると今度は妻に食べてくるようにと言う。そ知らぬ顔をして皆が食事をしている静かな食堂で、T夫人はひとり冷めた食べものを詰め込んだ。

最後の晩、一計を案じ、日中は公園で子どもをめいっぱい遊ばせ、五時にスパゲッティを食べさせると、添い寝の習慣があるので、母親もパジャマに着替えて一緒に寝るふりをした。ようやく眠った坊やをおいて、T夫妻は食堂に下りた。子どもが生まれてから初めて二人だけのディナーとなった。一度部屋を覗いたが子どもがぐっすり眠っているので、暖炉の前でコーヒーを飲んでいると二人づれの老婦人が話しかけてきた。彼女たちは姉妹で、毎年イースターにはこの宿に来るという。「昨夜はミゼラブル（みじめ）だったわね。でも今夜は二人でゆっくり食事を楽しむことができたでしょう」とほほえみながら言った。きっと、もののわからない外国人だと思っているんでしょうと考えていたT夫人は自分を恥じた。「この宿は食事がおいしくて料金が高くないし、とてもいいでしょう。ひとりで食事をしていたあの男の人は写真家で、ここの食事が気に入ってもう一週間も滞在しているんですって。一度も同じメニューを出さないとか」と老婦人は付け加えた。

そのとき、イギリスでイースターホリデーの夕食の時間が大人にとって何を意味するのか、やっとわかった気がしたという。長い冬が終わり、季節の変わり目に訪れるお気にいりの宿の夕食は、煩雑な仕事や、そうかわりばえのしない日常生活から解放される小さなアクセントであるはずだ。大げさにいえば、それは教養あるイギリス人が口にする「生きることの質の高さ（quality of life）」とも結びついている。幼い子どもがかき乱してはいけない静謐《せいひつ》な空気がたしかにあの小さな食堂にはあったのだと。

文化によって子ども観は異なり、しつけの方向性や方略も異なる。日本人は伝統的に子どもを自分のそばにおくことをよしとし、子どもも大人と同じものを食べ、親子が同じ時間や体験を共有することを大切にする傾向にある。子どもの食事の時間が多少ずれても、子どもの行儀が少々悪くて親の叱り声がとぶことがあっても、みんなでおいしいものを食べることを楽しむ。そこにはまた子どもを少しずついろいろな味に慣れさせていく意味もある。日本人ならば幼い頃、夕食時に祖父の膝にすわって酒肴の味見をさせられた記憶を持つ人も多いはずだ。

けれどもイギリス人は日本の子育ての価値観とは対照的に、大人と子どもは必要とするものも楽しみも異なっているという前提にたって、大人と子どもの時間を明確に分ける傾向にある。前述のエピソードも、大人と子どもの食事時間を区別することは、大人の大切な楽しみやくつろぎの時間を子どものために犠牲にしないこと、子どもは食べ慣れたものの方が食べやすいこと、早く就寝させた方が健康に良いこと、静かな食堂でお行儀良くさせられることは子どもにとっても苦痛であること、などさまざまなイギリスの子育ての価値を内包している。日本では子どもとの同室就寝が一般的であるが、イギリスでは別室就寝が一般的であること、また母親の添い寝の是非についても両国で考え方が異なることが、宿屋の女主人とT夫妻の夕食時の幼い子どもの同席についての考え方の食い違いの背景にある。

T夫妻は旅先でイギリス流の子育てのやり方を試みてはいたが、三歳の坊やはそうお行儀が悪かったわけでもないと心中穏やかでなかったという。カルチャーショックといえるほど動揺し、ともすればイギリス人は子どもに冷たい、外国人に対する理解がないなどのステレオタイプの見方に陥る危険性もあった。最後の晩に老婦人が非常に間接的でかつ subtle (繊細な) な言い方で諭してくれなかったら、イギリス人に対して誤解をしたまま宿を去ることになったかもしれないという。

イギリスの家庭教育

前節で見たように、イギリスに滞在して幼児を育てる日本人の体験から、日本とイギリスの幼児期のしつけの違いがいくつか浮き彫りになった。

ここでは、日本とイギリスの幼児期の家庭のしつけや幼児の就学前教育機関での教育を、文献に基づいてより客観的に比較する。その際に、それぞれの文化のなかでの教育環境や子どもの発達の多様性を念頭におかなければならない。

たとえばイギリス人幼児は言語による自己主張の発達が日本人幼児と比べてより高いと述べたとする。ところが、仮にイギリスの五歳の男児と日本の五歳の男児を一人ずつ無作為に抽出して比較した場合、日本人幼児の方がずっと自己主張が強い子どもだったということは充分にありうる。と同様に、あるイギリス人幼児の家庭とある日本人幼児の家庭を無作為に抽出して比較したところ、日本人幼児の家庭の方がより子どもの自己主張の発達を重んじているということもありうる。またそれは幼児の通う就学前教育機関の比較についても同じことがいえるだろう。だからこそデータの収集方法や分析の手法に留意して統計的に処理された文化比較が必要となってくるわけである。

ただし、一つの文化のなかにある子どもの発達や環境のヴァリエーションの広がりについては、階級社会であり個人主義の発達したイギリスの方が日本より大きいということは予測できる。

以上のことから、これから述べる日本とイギリスの家庭でのしつけや就学前教育機関での教育の比較は、それぞれの文化の全体的な傾向を捉えようとするものであって、すべての日英の家庭や就学前教育機関に当てはまるとは限らないことを述べておく。

〈乳幼児の生活時間の厳守〉

イギリスの乳幼児期のしつけは、ビクトリア時代（一八三七～一九〇一年）に顕著であった、子どもに非常に厳しいしつけをするステレオタイプのイメージがある。たとえば、『不思議の国のアリス』のなかで、作者のルイス・キャロルは泣き喚《わめ》く赤ん坊を公爵夫人が空中に投げては受けとめて泣きやませようとする様子を描いている。ジョン・テニエルの挿し絵に、泣き叫ぶ赤ん坊を乱暴にあやしている見るも恐ろしい風貌の公爵夫人があるが、これは当時の乳幼児に対する大人の厳しい扱いを風刺していると言われる。

ビクトリア時代終焉後のイギリスのしつけについてはどうだろうか。ニューソンら[1]によれば一九二三年の初版で、一九五四年までに一二版を重ねたイギリスの育児書『マザークラフトマニュアル』は、生後一年目の赤ん坊の育て方について、次のように指導している。「泣くとすぐに抱き上げられたり授乳される子どもは暴君のようになってしまう。決められた時間に授乳され、寝かされ、決まった時間だけ遊んでもらえる子どもは、自己抑制、従順、大人の権威を認めること、年長者への尊敬などのしつけがなされる。規則正しい習慣をしつけることが子どもを従順にさせる」（一九二八年版）。

しかしながら、前出のニューソンらは伝統的に厳しいイギリスの乳幼児期のしつけは、乳幼児の死亡率の非常に高い時代には宗教心の厚い親にとって子どもを厳しくしつけることが、せめて死後、子どもの魂を救うという考えがいきわたっていたからであるという見方を提示している。そして一世を風靡した『マザークラフトマニュアル』の子どもの授乳や就寝時間、母子のスキンシップを厳しくコントロールすることを説く子育ての権威への反発や、子どもを可愛がる気持ちが当時のイギリス人の母親になかったわけではないことも主張している。そして、若かりし日に育児書の指導にとらわれながらも泣き叫ぶ赤ん坊を抱いてやりたいと思い、抱いてはいけないとその葛藤にうちひしがれた母親の述懐をいくつも紹介している。

ニューソンらによれば、このような厳格な育児様式が維持される一方で、一九三〇年代初頭には、新しく自然主義が台頭し、ロンドン大学教育研究所に児童発達研究室を創設したアイザックスの幼児教育論にあるように、子どもを抱いたり子どもと遊び親しむことや、指しゃぶりなどの子どもの悪癖の矯正においても慈愛に満ちた育児方法が奨励されるようになった。さらに、第二次世界大戦以後、ヒューマニズムの高まりとあいまって、家庭生活を楽しもうという傾向、またたとえ権威者であろうと誰に指示されることなく自分たちのやり方で子どもを育てていこうとする個人主義の傾向が強まったという(1)。

現代のイギリスでは、親が子どもを抱いたり、一緒に遊ぶことが大切であると考えられている。しかしながら、さきのイギリスのホテルのエピソードにも見たように、規則正しい生活時間の伝統は、現代に引き継がれており、乳幼児については決まった時間に食事を与え、就寝させることは非常に大切であると考えられている。

イギリスでは、大人の都合に合わせて（たとえば父親の帰りを待つ、お客が夕食に訪れるなど）、乳幼児の食事時間や就寝時間が遅れたりしないよう慎む傾向にある。

〈大人と子どもの区別〉

夕食時の食物も大人と子どもでは異なっていることが多く、子どもは簡単な決まり切ったものを食べさせられて早めに寝かしつけられる。イギリス人は食事に関してきわめて保守的であり、食べ慣れないものを小さな子どもに食べさせることへの警戒心もある。アガサ・クリスティの推理小説で、殺人事件の死因を壜づめの魚貝類ではないかとする推理が出てくるが、これはイギリス人がいかにふだん食べ慣れない食物に対する警戒心を抱いているかを表していて興味深い。

さらに、大人と子どもは興味の対象もその楽しみ方も異なっているという前提に立ち、大人の楽しみに子どもが巻き込まれるよりは、子どもは子どもで別に過ごさせる傾向にある。と同時に、大人同士の社交やくつろぎの時間は子ども抜きで過ごしたい気持ちも強い。子どもをおいて夫婦だけで出かける習慣も日本よりイギリスの方が圧倒的に多い(2)。イギリスではディナーに招かれて訪れた家の玄関先に、その家の子どもたちがパジャマ姿で出迎えた場合、お客は決してよい顔をしない。また、イギリスはパック旅行の発祥地であるが、旅先でさえもイギリス人がよく訪れるヨーロッパのリゾート地では子ども向けのスポーツや遊びを盛り込んだキッズプログラムを充実させ、子どもは親と別に過ごすことができるようになっていることが多い。このように、大人と子どもの時間は明確に区別される。

〈幼児の言語による自己主張〉

さて、幼児の自己主張についてはどうだろうか。

ビクトリア時代のイギリスには「子どもたちは『見る』存在であって『聴く』存在ではない」という有名な警句があった。しかしながら、現代のイギリスでは幼児の言語による自己主張をむしろ重んじる傾向にある。

かつてはタブーであった幼児の言語による自己主張について、前出のニューソンらは一九六八年にイギリス中部のノッティンガムで約七〇〇人の四歳児の子育てを調査[3]しているが、中産階級と労働者階級の親のしつけに顕著な違いを見いだしている。子どもをしつけるのに中産階級の親はことばによって統制するが、労働者階級の親は体罰など非言語的手段に訴える傾向にある。

また、子ども同士のけんかに中産階級の母親は介入する。介入することによって子どもに何が正しいかを教えようとする。そして、この介入の際に中産階級の母親はことばのやりとりを通して自分の子どもと関わる時間がより長くなる。またこのときに、子どもは自分の方が正しいことを、その主張の論拠を提示する能力と上手なコミュニケーションによって母親に理解してもらうことができる。このことは子どもにとって、親子のより対等なスタンスや権威主義的ではない教育方針を勝ち取ることにつながるという。

対照的に、労働者階級の母親は、けんかを子どもたち同士で解決させる傾向にあった。そもそも労働者階級の親は子どもが親に事情を説明することを促したり、子どもが納得するまで何が正しいのかを説明するしつけのスタイルをとらないと言われてきた。

バーンスタイン(4)は、中産階級では精密コード（精細な理解を与えるための説明的発話）を使用し、労働者階級では制限コード（命令的または慣習的な発話）を使用すると述べた。

精密コードと制限コードの具体例を挙げると、

―精密コード―

親「早く寝なさい」

子「どうして」

親「早く寝ないと、明日学校だから朝起きるのつらいわよ。今朝も眠い眠いって言ってたじゃないの」

子「明日の朝はちゃんと起きるから、もう少し本読んでいていい？」
親「じゃあ、きりのいいところまで来たら明かりを消しなさいね」
―制限コード―
親「早く寝なさい」
子「どうして」
親「早く寝ろといったら寝ろと言ってるんだ」

　そして、学校は説明的な精密コードを使用する場であるので、学校と家庭の使用コードに連続性のある中産階級の子どもの方が連続性のない労働者階級の子どもより学習面で有利なのではないかとバーンスタインは論じている。このことは、イギリスにおける子どものことばの発達を育む言語環境の豊かさの重視と、ことばの発達こそが子どもの知的発達と深く結びついているという見方を示すものである。

　子どもの言語による自己主張については、ロンドン大学で『幼児教育のカリキュラム(5)』(*A curriculum for the pre-school child*) を著したカーティスにイギリスの子育ての特徴についてたずねたことがある。自身の子育てを振り返りながら、「そうね、negotiation（交渉）をずいぶんしたものだったわ」と答えた。「ご自分のお子さんとの間で、negotiation ですか？」と聞き返すと、仕事と子育てを両立するために、さまざまな場面で仕事に割く時間と子どもの欲求を満たす時間との割り振りについて、子どもの納得がいくまで話し合ったものだったとの答えだった。ここにもやはり、子どもの言語による自己主張を尊重し、親の権威をただ押しつけるのではなく、むしろ親子の対等なスタンスを演出しようとする態度がうかがえる。

言語による自己主張を発達させるには、論理の展開によって相手を説き伏せるテクニックが必要であり、そのためには論理的思考を育むことが不可欠となる。事実、イギリスでは中産階級の子どもが受験するセブンプラスと呼ばれる七歳児の私立小学校への入学試験において、文章の読解や算数の他に、reasoning という論理の推理の能力を問うところもある。七〜八歳向けの reasoning の問題の内容は、日本の算数の文章題と似ているものも多いが、次の問題などは論理的なものの見方を育む好例である。(6)

次のなかから正しいものを選びなさい。

①All girls wear dresses.（すべての女の子はドレスを着ている）

②Girls always wear jeans.（女の子はいつもジーンズを着ている）

③Girls do not like dresses.（女の子はドレスが嫌いである）

④Most girls wear dresses sometimes.（ほとんどの女の子はときどきドレスを着る）

正解は④である。イギリスの中産階級の教育では、論理学の手ほどきが七歳ですでに始まっているといったら語弊があるだろうか。

アイザックスは一九三〇年の著書、『幼児の知的発達』のなかで幼児の論理の推理能力に触れて次のようなエピソードを挙げている。[7]

「レナはI先生が服についた絵の具を落とそうとしているのを見ていた。先生がこの服は古いものだが駄目にしたくないと話すと『いつから持ってるの』と聞いた。『三年前からよ』と答えると、『じゃあ先生は三歳なんだわね』といった。」

ここでレナの推理は大人の目から見れば間違っているが、アイザックスはむしろ、三年前から使っているという事実から三年前から生きているという推理をする能力の方に着目していることが興味深い。幼児の知的発達を単なる正しい知識の吸収ではなく、子どもの思考能力に、論理の組み立てに、見ていることが特徴的である。

また、親子のことばのやりとりについては日英の六歳から九歳の子どもが使用する国語の教科書にあらわれる親子の言動の分析[8]から、日本では親が情報を発し、子どもがそれを受けとめる一方方向の関係であるのに対し、イギリスでは子どもも親に対して情報や意見を発するという双方向のコミュニケーションを持つことが報告されている。また、これとは別の幼児を対象とした調査でもイギリスの家庭では七三%の会話が、子どもによって始められることを見いだしている。[9] これもイギリスでは子どもの自己表現、自発性等の自己主張の側面の発達を重んじる傾向を指し示すものであると解釈できるであろう。

イギリスの家庭教育の特徴は、幼児の生活時間の厳守と大人と子どもの時間の区別、そして中産階級では幼児の言語による自己主張の尊重であるといえる。

日本の家庭教育

〈母子の一体感〉

これまでもたびたび指摘されてきたように、日本の家庭教育に特徴的であるのは母親と子どもの緊密な関係である。前出の日英の乳幼児と母親の母子行動についての観察から、日本の母親は母親が乳児に離乳食を与えるときの共感反応(子どもの摂食の瞬間に母親が自らの口唇部を無意識のうちに動かす)がイギリス人の母親より非常に多いことが見いだされた。[10] これはやはり日本の母子の心理的な一体感が強いことを示唆するものではないだろうか。

伝統的に日本の母親は夫である父親に尽くすとともに、厳しい父親から子どもをかばい励ますという形で母の愛情を示した。[11] そして核家族化は父親不在と母子一体性の強化をもたらしたと言われる。たとえば、家族の就寝形態についての研究から、母子密着型の同室就寝

（父親と子どもの中央に母親が寝る）が現在も主流であることが明らかにされている。[12]

イギリスの別室就寝型とは対照的に、日本の同室就寝型では母親が添い寝するまで、子どもはひとりで寝ることができない場合もある。三歳児の教育相談では、しばしば「うちの子どもは朝一〇時ぐらいまで起きません」と言う若い母親がいる。極端に幼児の生活リズムが乱れている例であり、こういう場合は幼児の就寝時間が深夜であることが多い。たしかに一九六七年の初版から三〇年以上も版を重ねている松田道雄の育児書[13]にも、幼児が週日に父親との交流を持つためには、かなり夜おそくまで起こしておいてもかまわないとある。一歳から一歳六ヵ月までの子どもの育て方の項目、「子どもの夜ふかし」では、「幼児は、夜八時になったらねるものというかんがえはもう通用しない。夜のレジャーを楽しむというのが、一般市民の生活様式になったのだから、家族の一員にまで成長してきた子どもが、夜の一家団欒に参加するのは、むしろ当然である。ひるねをしなければ八時にねるが、ひるねをすれば九時半までおきているという場合、おそくまで目をさましていたほうが、父親とあそべて、親子ともに楽しいのなら、九時半にねて七時におきることは、生き方として賢明である」（一九八二年版、四六五ページ）とある。特に幼稚園に入園する前の幼児の生活時間の規則性については、イギリスとは対照的に、統制が緩やかだといえるだろう。

子どもと大人の時間の明確な区別がないのも日本の家庭の特徴であろう。伝統的に幼児を親のそばにおくことをよしとし、そのためには、たとえ子どもには直接関わりや興味のない事柄でも、親の都合や興味に合わせていろいろな場所に連れ歩くことも多い。そのため、欧米では子どもが足を踏み入れることのない映画館（子ども向けの映画が掛かっている場合は別として）や劇場、レストランなどの場所においても、子どものむずかりや泣き声が社会的にも是認される傾向にある。これはイギリスではご法度《はっと》である。日本では、あまり値段の高くないベビーシッターや気軽に利用できる一時的な預かり保育の受け皿が充実していないことも現実にある。この背景には、やはり幼い子どもを育てる時期には親自身の楽しみやくつろぎ、気分転換を我慢すべきであるという日本の伝統的な子育ての価値観がある。ただし、近年、少子化対策と子育て支援の観点から、幼稚園でも親のニーズに合わせて、午後子どもを預かる動きが出てきている。

〈知的発達は母親の責任〉

日本では幼児期の社会性を育むしつけは伝統的に緩やかなものである。幼児期はイノセントな時期であり、この性善説を前提として、子どもがなにか悪いことをしても、腹の「虫」に責任転嫁したり、そもそも悪気はなかったこととしたり(14)、あるいは叱る際にも「そんなことをして、○○ちゃんはわるい子ね」と言って叱るのではなく、逆に「○○ちゃんはいい子

して行動する自己イメージ）を強化する子育てが好まれてきた。(15、16)
だものね、わるいことはしないものね」と子どもの「いい子アイデンティティ」（いい子と

その一方で、現代の日本の幼児の家庭教育の特徴として、子どもの知的発達を母親が担っていることも知られている。文字の習得について、日本の子どもは就学時九五％がひらがなを読めると言われる。日本語のひらがなは表音一致であるので、その点、英語のアルファベットより幼児にとっては習得しやすい。それはそうとしても、欧米の言語学者がうらやむほど日本の母親は自分の子どもへの文字の教え込みに熱心であり、欧米の就学前教育機関における集団の一斉の文字教育の方法より、日本の母子の一対一の教え込みは効率がよいのではないかとすら論じられるのである。子どもの社会性を育むうえでのしつけの緩やかさとは対照的に、知的教育においては母親が、ときとして厳しく教え込む場面も当然のことながらありうる。私が以前に訪れた東京の幼稚園の園長先生から、「子どもの様子がおかしい、攻撃的行動をとったり、園での活動に積極的に取り組まないなどの兆候があらわれると、たいてい文字教育や知的教育を母親が家庭でやり過ぎている場合です」とうかがったことがある。

以上のように、現代において日本とイギリスはともに母子の親密で暖かい関係性が認められるが、日本の方がより心理的、身体的に至近距離にある母子の一体感に、イギリスの方がより子どもの言語による自己主張に価値をおく傾向にあるといえるだろう。日本とイギリス

	日本	イギリス
(1)就寝形態	同室就寝・添い寝	別室就寝
(2)授乳・就寝等の生活時間のしつけ	比較的緩やか	時間をきちんと守る
(3)大人と子どもの時間の区別	ともにいることをよしとする	行動や活動の内容によっては大人と子どもの時間を区別する
(4)文字教育	家庭で母親が中心となり教え込む	労働者階級では幼児学校中心、中産階級では家庭と幼児学校で学ぶ
(5)母子関係	心理的一体感強い	言語的関わりを多くする
(6)親子関係	親が情報や意見を発し、子どもは受動的	子どもの自己表現、自発性を尊重

表3－1　日本とイギリスの家庭教育の特徴

の家庭教育の特徴を表3－1にまとめた。

イギリスの幼児学校

次に幼児の教育機関について日本とイギリスを比べてみよう。日本とイギリスの就学前教育機関を比較するにあたり、いくつか考慮しなければならない点がある。そのひとつは、日本では義務教育が子どもの年齢が四月に六歳に達している場合に始まるのに対し、イギリスでは五歳で始まる点である。そして実際にはライジングファイブといって、新学期中に五歳になるまだ四歳の幼児も入学が認められるケースがある。このように五歳から七歳までイギリスの子どもはインファントスクール（幼児学校）に通学する。そして、七歳以降小学校に入学するので、日本の教育システムと若干の時間のずれがある。

したがって、四歳から六歳の日本とイギリスの幼児の教育機関を比較する場合、義務教育ではない日本の幼稚園と義務教育であるイギリスの幼児学校を比較することになる。しかしながら義務教育ではないが、日本では保育園や幼稚園などの就学前教育機関に幼児が入園するパーセンテージはきわめて高く、かつ、さきに述べたように日本の就学前幼児は家庭で、特に母親を中心に文字と数字の基礎知識を教えられている。以上のことから、入学後3R'S（Reading, Writing, Arithmetic）、つまり読み・書き・算数を教えるイギリスの幼児学校と、日本の幼稚園の比較は可能であると考える。

またもうひとつには、イギリスの教育は一九八九年のナショナルカリキュラムの導入まで、日本の幼稚園のように文部省の指導要項に沿った教育ではなく、教師の自由裁量に任せられたものであり、その教育の様相は多様である点も画一性の高い日本の幼稚園教育とは異なる。

家庭教育と同様に幼児教育の段階において、すでに階層による教育の差異も存在する。イギリスの学校制度（図3－1参照）は複線型であり、それは幼児教育に始まる。伝統的に中産上階級は、幼児期には家庭で母親が育てることをよしとするフレーベルの教育思想の影響をうけた短時間保育（午前か午後の約三時間）の私立幼稚園に、労働者階級は母親が働くのに有利なため、長時間保育（九時から三時半）の公立幼児学校に、子どもを預けるという傾

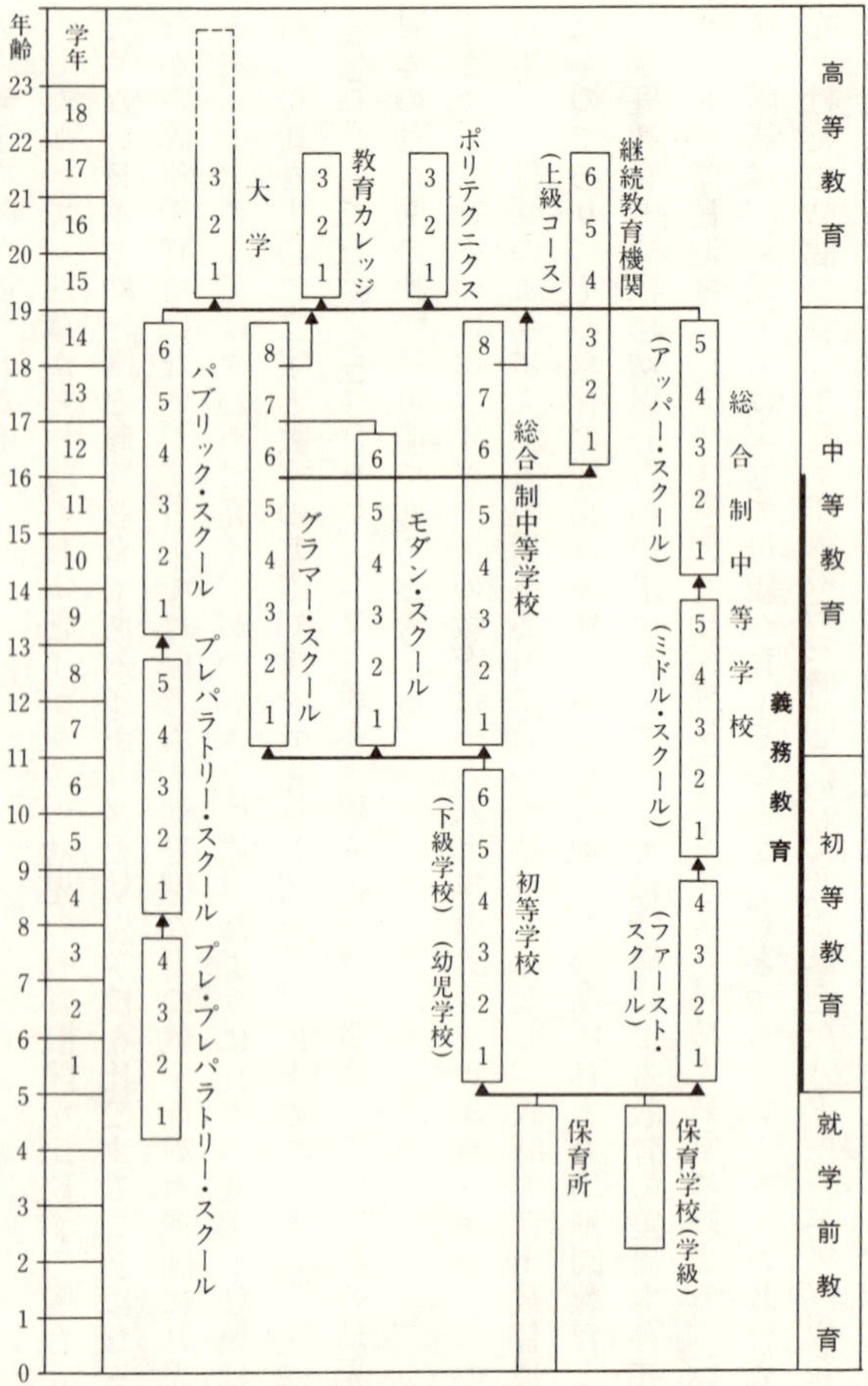

図3－1　イギリスの学校系統図（水野編、1983、文献(20)より抜粋）（注）ただし、1992年の継続高等教育法の成立によって、ポリテクニクスおよびカレッジは一定の条件を満たせば、大学の名称を用い学位を授与する権利が認められた。

向がある。将来子どもをパブリックスクール（有名私立学校）に進学させたいと願う親は、私立の幼稚園のなかでも、プレ・プレパラトリースクール（前準備校）に子どもを預ける。

ここで、階級について少し述べる。まず、中産階級と労働者階級の貧富の差は、アメリカの方がイギリスと比べてはるかに大きく、またイギリスの労働者階級はアメリカと比べると家族構造がきちんとしていて、収入がより安定しているといわれる。専門でないのでこれはあくまで経験に基づいた感想にすぎないのだが、Working class を労働者階級と訳すが、実際には労働者階級のなかで生活レベルにもかなりの幅があり、日本語のイメージとはそぐわない生活であることもある。

たしかに労働者階級には、働いている母親の代わりに幼児学校への子どもの送り迎えをしているお祖母さんが、真冬に靴がなくサンダルを履いているという貧困家庭が存在するのも事実である。が、その一方で、生活レベルそのものはかなり高い労働者階級の家庭もある。たとえば我が家の二軒先にはロンドンタクシー（黒塗り箱形のタクシー）の運転手が住んでいた。タクシーの運転手は労働者階級に属する。奥さんと共働きであったが、四つ寝室のあるセミ・デタッチトハウス（semi-detached House 一棟二軒の家屋）に住み、カーテンは布地で有名なデパート John Lewis で仕立ててもらっていた。また、中産階級に属する医師、大学講師などの専門職の方が、収入と生活レベルではむしろ労働者階級の上層より低いこともありえないわけではない。

それでは何が中産階級と労働者階級で違うのかというと、その指標は経済力やライフスタイルではなく、ことばとマナーだとイギリス人はいう。そしてきちんとしたことばとマナーを身につけさせてくれるために、私立学校の人気は衰えないというのである。イギリス人は天気の話が好きだといわれるが、その天気に関する短い会話のやりとりで、相手の話の内容ではなく、発音を聞いて階級を読み解いているというシニカルな見方もある。

また、前出のバーンスタインが主張した中産階級の精密コードと労働者階級の制限コードが幼児学校での子どもの到達度に関わるのはなぜかというと、キングの述べるように幼児学校の文化が中産階級のものだからである。ものしずかで、集中力があり、暖かく親切で伝統的な礼儀正しさを示す子どもが好まれる。先生と子どもの関係、モデルとなる行動、知識の表現形式など、幼児学校の教育は中産階級のしつけと共通し類似する傾向にある。だからこそ、精密コードで話す家庭に育った中産階級の子どもは、制限コードで話す家庭に育った労働者階級の子どもより知的発達が優位であるという解釈である。

こうしたことを念頭におきながら、日本とイギリスの幼児教育の一般的な状況を見る。

まず最初に、私たち日本人にはあまりなじみのないイギリスの幼児学校の教育の一九三〇年代から現代にいたるまでの歴史的な変遷を簡単にたどってみよう。

「一九三〇年代のロンドン市内の幼児学校の教育内容はカリキュラムが厳しく決められており、六歳で二桁の引算を習っていた。クラスでは静寂が尊ばれ、遊びは金曜日の午後に限られていた。第二次世界大戦以後、一九四八年に福祉国家の概念が導入され、幼児学校のカリキュラムは形式にこだわらず、遊びを通した教育が奨励されるようになる。五〇年代には子どもたちの自発的な遊びが奨励される傾向がもっとも顕著となったが、六〇年代にはまた算数などが熱心に教えられるようになった。[17]」（訳は筆者による）

その後、七〇年代に幼児教育の基本的な理念はその子どもの持つ経験、関心、意志を教育の出発点にしようとする児童中心主義となり、子どもはおのずから周囲にさまざまな興味を持ち、幸福で忙しそうに動き回っているときに学習するとされた。[18]この時代の幼児学校の教育思想は、発達主義（子どもは内的な準備が整ったときに学び始める）、個人差の考慮、遊びを通しての学習、子どもは罪のない存在であることが挙げられる。しかしながら、八〇年代にはまた、年少クラス以外、遊びがあまり重要視されなくなってきているとの見方[19]や、イギリスの幼児教育の基本的理念に掲げられた児童中心主義が、教育現場における先生と子どもの関わりに必ずしも充分に浸透しているとはいえないのではないかとの意見[18]もある。以上のようにイギリスの幼児学校の教育は、遊びと学習、言い換えれば自由と構造化の間を揺れ動いてきたといえる。

〈自発性の尊重と言語教育の重視〉

私が調査を行ったある幼児学校で校長先生に「子どもの発達の何をもっとも重視していらっしゃいますか」とたずねると、即座に「autonomy（自律）」という返事が返ってきた。

水野らによれば、イギリスでは保育者一人あたりの幼児数が少なく、少人数対象の個性教育を理想としており、保育の主体は幼児の能動性・自発性におかれている。[20] すなわち、幼児がある種の保育メニューを受動的に受け取り、それをひとつひとつこなすことが求められているのではなく、ほとんどすべての保育が幼児たちの意欲で始まり、それぞれ、その興味の方向にしたがって、彼らのペースで展開するのであると。イギリスの保育者が子どもの自律を育んでいる一例として、幼児が食欲を自分で自律的に判断し、おやつを保母が無理にすすめたり、量をクラスで統一しないことを報告し、一定量のおやつをクラス全員に与える日本の幼稚園と対比している。[21]

私が訪れた私立の保育園で午後のクラスを見学させてもらったとき、四時ごろにティーと呼ばれるおやつの時間があった。子どもたちはテーブルの真ん中にあるジャムやピーナッツバターの瓶にめいめいがナイフを入れ、食パンに自分で好きなものを塗って食べている。先生方も同じテーブルに座ってパンを食べており、特に食の細い子どもにもっと食べなさいとすすめたり、テーブルマナーを指導している様子も見えなかった。

ただし、子どもの自発性を尊重するということは、言い換えれば個人差を認めるということでもある。知的発達においても個人差を認め、クラス全体という単位ではなく個人の単位での教育をめざしている。個人差を認めるということは、クラスの子どもたちが皆同じことを学んだり、さまざまな能力をできるだけ同じように発達させることに重きをおいていないということである。

実際、ナショナルカリキュラム導入以前に私が訪れた幼児学校でも当時それぞれの子どもが読んでいる本の難易度にはかなりの幅があった。七歳児のクラスでは、全員同じ教科書を与えられているのではなく、先生が一人一人の子どもに図書コーナーから自分で本を選ばせ、その本の音読を指導していた。周囲の子どもが読んでいる本よりもかなり幼めな本をとり出して、それでも四苦八苦している子どももいた。子どもに本を自分で選ばせるときに、本のトピックやジャンル、内容は子どもの選択を尊重しても、本の難易度については個々の子どもに先生が指示を出していることが多い。先生は今どの子どもがどの本を読んでいるか記録しており、それによって子どもの読書学習の進度を把握している。さきに述べた私立のプレ・プレパラトリースクールでも読書の能力別指導を行っているが、ここでは、六歳ですでに五センチもの厚みのある上級生向けの本を読む男児がいた。

前述のように、教師の自由裁量に価値をおいてきたイギリスの教育にも、一九八九年にナショナルカリキュラムが導入され、各学校の客観テストの結果を公開することが、地域のなかでの学校の淘汰に結びつくと懸念された。ナショナルカリキュラム導入の直前に私が訪れたロンドン市内の労働者階級の子弟が多く通う幼児学校では、危機感を持った校長先生が父母会で、親に対し、「どうぞご自分のお子さんの文字習得にご協力を」と熱心に呼び掛けていた。もし、子どもが難しいと感じるようであれば、ABCをエイ、ビー、シーと読まずに、ア、ブ、クと文字通り読ませてもかまいませんと付け加えながら。

さきに、日本語のひらがなは表音一致で、幼児の文字習得の際に有利であると書いたが、英語のABCの習得は、文字と発音との多様な組合せのコード解読のプロセスを必要とする。なぜなら、たとえばAという文字は、[ei]とも、[ə]とも、[æ]とも、[ʌ]とも、[a]とも、[ɑː]とも、[e]とも読めるのであるから。そして、校長先生の必死の訴えから、労働者階級の親にとって、幼児の文字習得が「学校におまかせ」の状態であることが見て取れる。

また、イギリスの幼児教育が言語教育を重視してきたことを、水野ら[20]は一九七四年のスクールズカウンシル（カリキュラムおよび教授法、試験に関する調査を行う研究機関）の「就学前教育」の一節を引いて、明らかにしている。

「良い学校であるためには、保育者は子どもの言語経験を拡大することの重要性について認識すべきである。そのために、使用語彙を広く習得させ、また言語を実際に使えるような機会を整える必要がある。大人は、子どもたちが自分のまわりの世界を発見し、そこで経験したことを言葉で表現できるよう励ますべきである。」（二五四ページ）

前出のカーティスは、スクールズカウンシルが行った幼児期のコミュニケーションスキルの研究プロジェクトから、子どもの言語発達を促す、次のような先生と幼児の会話の方略を紹介している。

①方向づけ——子どもの注意をある話題に向けさせ、ある特定のやり方で考えるように誘う先生の発話や質問やコメント。たとえば予想、reasoning（論理の推理）、想像などを含む。

②導入——子どもがより活発に話すことを手助けするコメントを与えること。子どもの話をフォローしたり、焦点を当てたり、質問したりする。

③情報の付与——方向づけや導入が、教師が先導して子どもの思考を促しているのに対し、情報の付与は子どもがすでに欲していると思われることに絞って、情報やアイディアを与えること。

④励まし――子どもが話し続けるように励ますことを目的としている先生のコメント。ほほえんだりうなずいたり、非言語的コミュニケーションであることも多い。
⑤結論づけ――会話の終わりに子どもに満足感を与えるため、先生は会話を結論づける必要がある。と同時に、また後で先生と話せるという見通しを子どもに与える。

このように、イギリスの幼児学校は言語教育に力を注いでいるが、子どもの能力や家庭環境の階層によって発達のレベルの違いが著しいことも事実である。

〈自己抑制の重視――ルールへの従順〉

子どもの言語による自己主張や個性、能動性を尊重すると同時に、もう一方でイギリスの幼児学校はクラスの統制を非常に重んじている。図3－2に示されているように、前出のキングは詳細な観察データに基づき、幼児学校の教師による子どもの認識、評価の基準はルールへの従順、子どもの仲間関係、学習の進歩をベースにした、子どものパーソナリティの発達であると述べる。[18] 自己抑制の側面の範疇にあるルールへの従順が、イギリスの幼児期の教育の目標の中枢にあることがこの図から明らかになる。

前出のアイザックスは、ルールについて、一度定めた以上は、子どもがこれを受け入れるのは当然とみなしたと述べている。従順については興味深い記述をしている。[7]

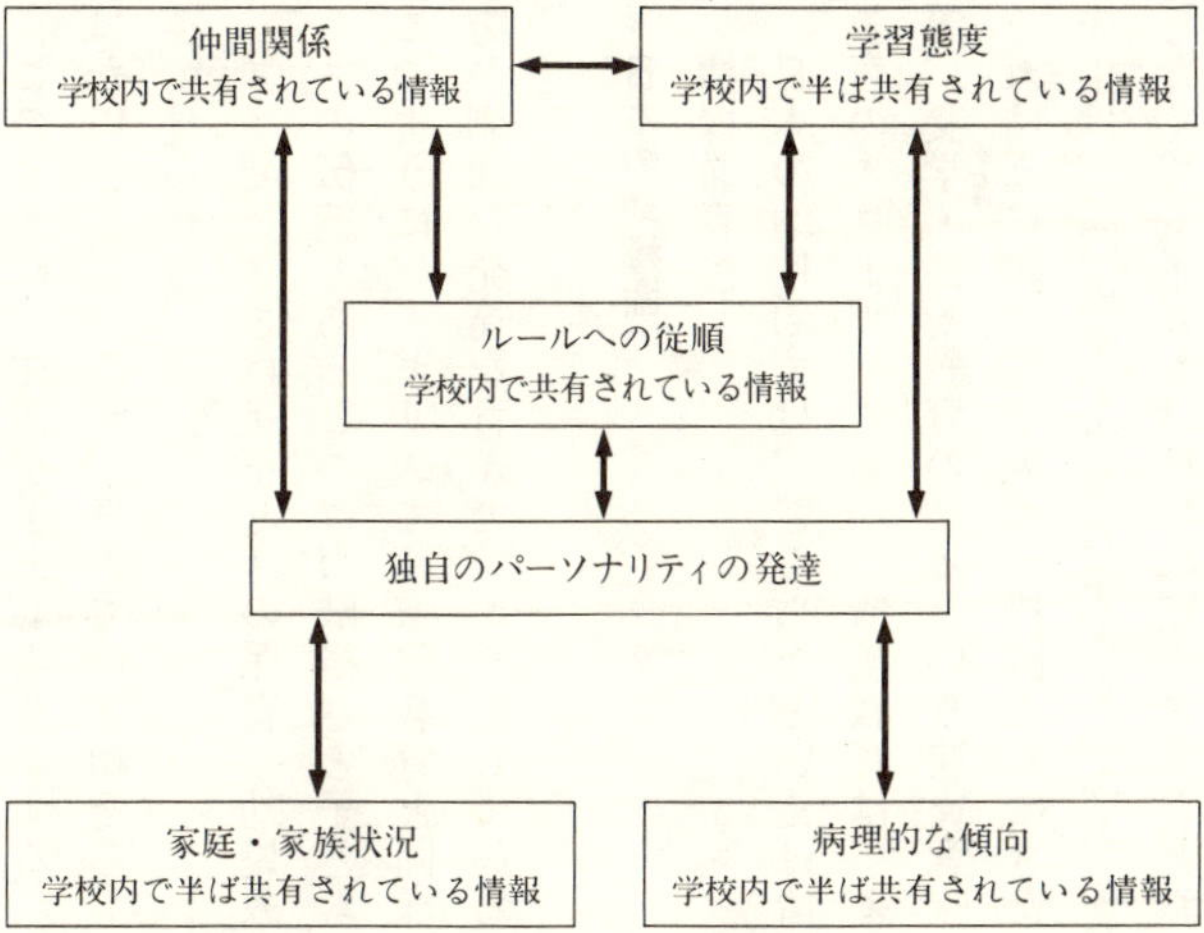

図３－２　先生による個々の子どもの特徴づけ（King、1978、文献(18)より抜粋）

「子どもに従順を要求する理論的根拠に、取り立てて難点があるわけではない。幼児の安全確保に不可欠ならば、従順を要求する権利は、生物としての親の責任に含まれる。しかも従順は人間の子どもの心に深く根ざすものだ。しかし従順それ自体は、目的とはなり得ない。それはひとつの条件であって目的ではない。私たちに従順をどこまで要求する権利があるのかは、全くその目的如何なのである。……ことは、従えと子どもに要求するか否かではなく、何を求め何を禁じるかに大きくかかわっている。したがって私たちは、従順そのものを何らかの美徳とみなすことはなかった。」（一〇七ページ）

このように、従順を子どもに要求するにあたって、アイザックスは従順そのものが目的ではないとしているが、日本では従順そのものが美徳とみなされているという質的な違いが日英で見られる。

アイザックスはイギリスの保育、幼児教育に大きな影響を与えたが、その教育論は、イギリスの伝統であるしつけの厳格さと子どもの自由をいかに調和させるかということであった。[21]このように、イギリスでは家庭教育と同様に幼児学校においても、自己主張と自己抑制の両方の側面の発達を育んでいこうとしていることがわかる。

日本の幼稚園

〈情操教育〉

日本の幼稚園では、どちらかといえば情操教育がその中心となっている。藤永[22]は、幼稚園教育のスローガンであった情操教育は、よい童話を読んできかせる、美しい音楽を聴かせる等、文学・芸術教育の初歩という狭い意味で用いられ、理論・知的価値が排除されており、それゆえに数や文字教育が排除されてきたと論ずる。事実、私が訪れた東京の幼稚園の園長先生は、「四歳半で大体の子どもがひらがなを読めるでしょう。私たちはむしろそんなに焦らなくても子どもは自然に覚えますよとお母さん方を牽制するのが仕事なのです」と苦笑いをしていた。

実際、日本の幼稚園では知育を重視しているところは少ない。それぞれ教育目標・教育方針の異なる八つの幼稚園での調査[23]においても、規律・協調性・自立性の重視等、教師の、子どもの社会性を育むしつけ観にはばらつきが見られるが、その八つの園のいずれにおいても知育はほとんど重視されていない。

藤永の述べるように、日本の小学校教育は知的教育であり、幼稚園の情操教育と小学校以降の知的教育の断絶がある。その断絶を補っているのはさきに述べたように、母親の熱心な文字の教え込みであり、このことはまた、日本の幼児教育を調査した外国人研究者によってしばしば指摘される。


〈協調性の発達の重視〉


その一方で、従順、協力、礼儀、責任などの対人的なスキルをしつけることは、日本では家庭ではなく幼稚園で行われると八〇年代に日本の幼稚園を観察したピーク[24]は見ている。そして、ルイス、トビン、ヘンドリーらの外国人研究者が指摘したように、日本の幼稚園教育において幼児の社会性の発達でもっとも重要視されてきたのは「協調性」[25、26、27]である。

幼児の社会性の発達の調査研究[28]の結果からも、このことは明らかにされている。幼稚園が始まって一ヵ月ほどの期間における幼児の幼稚園への適応を初期適応と呼ぶが、その初期適応の幼稚園の先生による評価と子どもの協調性の間には高い相関がある。つまり日本では先生の目から見たしっかりした子どもは、協調性の高い子どもである。

また子どもの発達観として、能力の個人差より努力を重視する傾向にあることから、クラス全体をある一定のレベルにまで押し上げようとする教育が行われてきた。私が訪れた幼稚園でも、秋の音楽発表会に向けて楽器の苦手な子どもに個別指導を行っていた。

また、前出のルイス、トビンほか、ピークなどの外国人研究者の視点からは、日本の幼稚園の先生はクラスの統制方法として、むしろ自分が保育の中心にならないよう配慮し、幼児が他の幼児との交流により集団の一員として自然に成長していくように計らっていると言われる。

このように、イギリスの幼児学校では知的教育、ことに言語の発達に力を注いでおり、自発性・能動性を重視している。日本の幼稚園では、情操教育が中心であり、子どもの協調性の発達を重視している。イギリスでは自己主張と自己抑制の発達を、日本では自己抑制の発達を育んでいることが明らかになった。日本とイギリスの幼児の教育機関の特徴を表3-2にまとめた。

	日本	イギリス
(1)先生一人あたりの幼児数	多い	少ない
(2)子どもの発達観	努力重視、クラス全体のレベルに合わせる	能力を重視、個人差を認める
(3)教育形態	画一的・管理的	言語的、応答的教育
(4)教育の目的	情操教育・社会性の発達	知的教育・社会性の発達
(5)クラスの統制	集団のルールへの従順重視	集団のルールへの従順重視
(6)育みたい子どもの特性	協調性	自発性・能動性

表3－2　日本とイギリスの幼児教育機関の特徴

以上、概略的ではあるが、日本とイギリスの幼児教育を家庭と教育機関の二つの側面から比べてみた。ここでそれぞれの国において、家庭と教育機関が担う教育の分化とバランスについて考えてみよう。

①知的発達と社会性の発達――イギリスでは義務教育であるということもあり、子どもの知的教育の責任は主に幼児学校に、社会性の発達の責任は主に家庭にあると認識されている。逆に、日本では、子どもの知的発達の責任は主に家庭にあり、社会性の発達の責任は主に幼稚園にあると考えられている。

②先生の権威と心理的距離――イギリスの幼児学校の先生は、権威を保ちそれによって子どもを統制するが、と同時に、個としての子どもと関わるため、パーソナルな存在であろうとする。

しかしながら、日本の幼稚園では先生が子どもたちから等距離に立つため、先生は幼児にとってパーソナルな存在ではなく、あくまで集団のなかの一員としての接し方を要求される。

③自由と統制――イギリスの子育てが家庭の外と内で同じような厳しい基準を保つのに対し、日本では、家庭では自由度が大きく子どもは全面的に母親に依存することが許される一方、幼稚園では統制された落差のある生活になる。日本人特有の家庭の内と外で本音と建前の異なる顔を持つ二重構造の生活は幼児期に始まるといえるだろう。逆にイギリスでは場面を越えたパーソナリティの一貫性を育む傾向にあるといえるだろう。

以上のように日本とイギリスはともに子どもの大人に対するあるいは集団のルールへの従順を含む自己抑制を育んでいる。しかしながら、イギリスでは個性を認め個人差を認めており、子どもの自発性、言語による自己主張にも重きをおいているところが日本との大きな相違点である。また、日本とイギリスにおける幼児の親や先生との関わり方の違いは、両国の自己と他者の関わり方の基本的なあり方の違い、そして自己が作られ始める幼児期の発達の差異を示唆している。

このように日本とイギリスの幼児期の教育を比較対照すると、日本では主に集団のなかの従順や協調性という自己抑制の発達に価値をおくのに対し、イギリスでは子どもの主体性や個性という自己主張と、従順という自己抑制の両方の発達に価値をおく様相が浮かび上がる。

第四章では、日本とイギリスの幼児の自己主張と自己抑制のバランスについて、私自身の調査研究を報告する。

第四章　日本とイギリスの子どもたち

「なぜぼくにたずねるの？」

目の前のブルーの小さな瞳が険しくなった。イギリスの幼児学校の一室でイギリス人の男児に心理テストを行っているときのことである。幼児にいくつかのトラブル場面を描いた図版を提示しながら状況を説明し、「こんなとき君だったらどうするかな」とたずね、幼児の対人行動における自己主張と自己抑制の発達を見るテストを実施中であった。課題は「花瓶」と題されるトラブル場面で、自分が工作で作った粘土の花瓶を友だちが誤って壊してしまった状況である。これは花瓶を壊されてしまった子どもが、壊してしまった子どもの立場になって、思いやりを発揮し、泣いたり怒ったりして感情を爆発させずに相手を許せるかどうかを見る自己抑制の課題である。

Why do you ask me about this? I didn't do anything. He is to be blamed.

「なぜこのことについてぼくにたずねるの？」と毅然とした表情で男の子は言った。そしてテスターである私の目をしっかりと見据え、「しつもんなら、こっちのこわしたほうの子どもにたずねればいいじゃないか。ぼくはなんにもしていないよ。せめられるのはこっちの子のほうだよ」と続けた。

また別の子どもであるが、

Well, he himself would be upset.

即座に「さあね、かびんをこわした子はじぶんであせってるんじゃないの」とさらりと答え、見事にきっぱり自分と他者の間に線を引いてみせるイギリス人の男の子もいた。

また、あるイギリス人の女の子は

I'll tell all my friends.

「わたし、おともだちみーんなにいいつけちゃう」とあっけらかんと答える。

対照的に、日本人幼児の回答に多かったのは次のようなプロトコール（発話のありのままのことば）である。

「おこったらこの子めそめそなくから」

「ちいさい子ならなくよ」

「おこるとおかあさんにしかられる」

「あんまりなかすとおこられる」

このように答える日本人の子どもたちの複雑な表情からは、相手の気持ちになる、あるいはトラブルが大きくなったときのことを考慮し、くやしい悲しいという自分の率直な感情を人間関係の調和のために抑制するプロセスが見て取れる。日本人が子どものときから感情移入能力を発達させてきていることは、恒吉の研究でも明らかにされている(1)。対照的に、イギリス人の子どもは相手に即座に感情移入するよりも、まずはトラブル発生時に自己が原因となることと他者が原因となることとの事実関係を客観的にはっきりさせようとしているのである。感情より理性が先に立つイギリス人幼児の特性を表しているといえるだろう。

上記の日本人幼児とイギリス人幼児の課題に対するプロトコールの違いから、日本人とイギリス人のどちらが「いい子」かと問うことはできない。なぜなら、これこそが、第二章で述べた自己と他者の心理的距離が異なる日本人とイギリス人の基本的な人間関係を構築する土台の差異なのだから。もし私たち日本人が、日本人幼児はいい子でイギリス人幼児はとんでもない子どもだと感じるならば、それは私たちが、自分の国の対人関係の文化規範に基づいて主観的に判断を下しているからなのである。

前章で述べた日本人とイギリス人に見られる人間関係の顕著な文化差、すなわち心情主義と論理主義、集団主義と個人主義、そのベースにある両国における自己と他者の心理的距離の違いはすべて、すでにこの幼児期に始まっているといえるのではないだろうか。

それでは、私がイギリスと日本の幼児に実施した図版テストと、それらの幼児の母親を対象にしたアンケート調査の分析結果から、幼児期の自己主張と自己抑制の発達の日英比較を試みることにしよう。

調査方法

まず、調査[2]の概要について簡単に述べる。調査対象は、ロンドン在住のイギリス人幼児、ロンドン在住の日本人幼児、および東京在住（一部は神奈川県在住）の日本人幼児の三つのグループである。男児と女児の比率はほぼ一対一であり、それぞれ約九〇人ずつ三グループで計、約二七〇人であった。調査は一九八九年から一九九〇年にかけて日本とイギリスの両国で実施した。この研究の基礎にあるのは、前出の幼児の社会的場面における自己制御機能の発達の研究である。第一章で述べた自己主張、自己抑制の発達、それぞれの下位カテゴリーを基に心理テストおよび、母親へのアンケートを作成した。

調査の方法としては、イギリスの幼児学校の校長先生や日本の幼稚園の園長先生のご協力を得て、田島らが開発した図版テスト[3]を前記の三グループの幼児に実施し、次に母親を対象とした自分の子どもの対人関係における自己主張と自己抑制の発達を問うアンケートを配付し回収した。本書では、それぞれ自文化の教育環境で育てられるイギリス人幼児と日本人幼児の二グループの自己主張と自己抑制の発達に限定して分析・比較する。

イギリスの幼児学校で心理テストを実施するにあたっては、まずロンドン郊外にある三つの郡の教育委員会に調査許可を願い出た。許可が下りたのち、幼児学校といくつかの幼稚園、合わせて二〇校に心理テストの実施と母親を対象とするアンケート調査に協力を依頼する手紙を出した。そのうち一三校から協力の申し出があったが、最終的には一〇校（九つの幼児学校と一つの私立幼稚園）で調査を実施した。ほとんどの幼児学校は校長先生あるいはESLの教師（外国人の子どもに英語を教える先生）と調査を実施する私自身が面接することを条件としていた。

日本とイギリスの幼児の発達を比較する調査を実施するにあたり、イギリスが階級社会であり、子どもたちの家庭環境に階層差があることを考慮に入れた。調査対象となるイギリスの子どもたちの家庭の階層をコントロールしないかぎり、仮に日本とイギリスの二群間で子どもたちの発達の差異が見いだされたとしても、それが文化差なのか階層差なのかは断定できないからである。階層を測る指標として父母の教育年数および父親の職業に基づくSES（Socio Economic Status）尺度をあてはめた。

第三章で述べたように、イギリスの学校制度は複線型であり、伝統的に幼児期には中産上階級の子どもは私立の幼稚園に、労働者階級の子どもは公立の幼児学校に預けるという傾向がある。ところが実際に調査をはじめると、住環境のよい地域に設立されたロンドン郊外の幼児学校では、いわゆる父親が医師、弁護士、大学教員などの専門職についている中産階級の子女がある程度在籍することがわかった。また、父母の学歴は高くないが、自営業で富裕な家庭の子どもも在籍していた。

母親のアンケートに協力を得たイギリス人幼児の家庭のSES得点（父親の職業、父親の学歴、母親の学歴についてそれぞれ〇～六点の得点を与えそれを合計する）と、日本人幼児の家庭との比較を表4－1に示した。父親の職業については日本とイギリスで平均値に差はない。父母の教育年数については日本の方が平均値が高い。しかしながら、調査が行われた当時、日本の大学進学率が三七％であるのに比べて、イギリスの大学進学率は一四％であったことを考慮しなければならない。これらのことを考えあわせると、調査に協力を得た日本とイギリスの子どもたちの家庭環境は、文化比較を行ううえで妥当な範囲内にあったと思われる。

	日本人幼児	イギリス人幼児
父親の職業	4.59 (SD .85)	4.46 (SD 1.33)
父親の学歴	4.97 (SD .93)	3.93 (SD 1.47)
母親の学歴	4.37 (SD .89)	3.74 (SD 1.51)

表4－1　二群の子どもの家庭のSES得点の平均値と標準偏差（SD）　標準偏差とは、その平均からデータがどのくらい離れて出現するかをあらわす

表4－2に、図版テストのデータが得られた被験者の年齢の分布と、図版テストに加えて母親のアンケートのデータも得られた被験者の年齢の分布を示した。表4－2－①に見られるように、イギリス人幼児は四歳児が少なく、日本人幼児は六歳児が少ない。二群の平均年齢はイギリス人幼児九三人が五歳九ヵ月、日本人幼児八九人が五歳三ヵ月と約半年の開きがある。これは第三章で述べたように、日英で幼児教育のシステムに違いがあり、イギリスの幼児学校が五歳から始まるためにライジング

年齢	日本人幼児	イギリス人幼児
4歳児	31人	11人
5歳児	41人	44人
6歳児	16人	37人
7歳児	0人	1人
計	89人	93人
平均年齢	5歳3ヵ月	5歳9ヵ月

年齢	日本人幼児	イギリス人幼児
4歳児	28人	6人
5歳児	30人	26人
6歳児	15人	19人
7歳児	0人	1人
計	73人	52人
平均年齢	5歳3ヵ月	5歳7ヵ月

表4－2—①（上）図版テストのデータが得られた被験者の年齢の分布　表4－2—②（下）母親のアンケートのデータも得られた被験者の年齢の分布

ファイブといってある程度四歳児を受け入れているが、その数はそう多くないことによる。またイギリスでは七歳から小学校に入学するため六歳児の数は多い。逆に日本人幼児の六歳児のデータが少ないのは実験を行った時期に年長児のうち一六人しか六歳に達していなかったことによる。

アンケートの回収率には日英で差があり、イギリス人の母親が五六%、日本人の母親が八二％、したがってイギリス人幼児五二人と日本人幼児七三人のそれぞれの母親の回答が得られた。イギリス人の母親の回収率がやや低いが、一般的にイギリスでのアンケートの回収率がきわめて低いことを考えあわせると満足すべき数字であった。図版テストと合わせて母親のアンケートのデータも得られた被験者は、表4－2―②に見られるように、イギリス人幼児五二人で平均年齢五歳七ヵ月、日本人幼児七三人で平均年齢五歳三ヵ月と約四ヵ月の開きがある。二群の年齢の分布を見ると、四歳児はやはり日本人の方が多いのだが、五歳児と六歳児についてはバランスがとれている。

そこで今回は図版テストと母親のアンケートが揃っている被験者のデータ中、五歳児（イギリス人幼児二六人、日本人幼児三〇人）と六歳児（イギリス人幼児一九人、日本人幼児一五人）を合計したデータに限定して、日英各群四五人ずつの日英比較のデータ分析を行う。なお母親のアンケートについては、四歳児を含めたデータで分析する場合もある。

幼児の図版テストの結果から

〈1　分析結果〉

幼児に実施した図版テストは実験者が自己主張場面あるいは自己抑制場面と想定したそれぞれ四場面ずつの計八場面からなる。このテストはもともとは幼児の日常生活場面、とりわけ園生活での友だちとの関係で子どもがしばしば経験する欲求トラブル発生場面を集めた一〇場面からなるのだが、このなかから、日本とイギリスの文化比較を行ううえでバイアスがないと思われる八場面を採用した。日本人幼児には日本語で、イギリス人幼児には英語で行い、私がすべてテストを実施した。テストの仕方は、幼児に場面ごとに各図版を提示し、行動として表現するか（自己主張）、それとも相手との調和のために抑制するか（自己抑制）をたずねた。評定方法は子どもの反応が、このテストを開発した研究者たちの主張・抑制の想定と一致した場合を正答とし、得点1と評定し、不一致の場合は得点0とした。

〈自己主張〉

①砂場――使っていたシャベルを無理に取り上げられてしまう場面で、「いやだ」「やめて」と主張できるかどうか

②遊びへの参加――すでに何人かの子どもたちが遊びを始めてしまっている場面で、「入れて」と主張できるかどうか

③ブランコA――ブランコに乗る順番を並んで待っているときに、割り込んでくる子どもに対して「いけない」「ずるだ、やめて」と主張できるかどうか

④ごっこ遊び――ごっこ遊びの役割を決めるときに自分が何の役をやりたいか表現できるかどうか

〈自己抑制〉
⑤花瓶――せっかく作った粘土の花瓶を友だちに不注意で壊された場面で、自分の感情を抑制できるかどうか
⑥紙ヒコーキ――戸棚の上に載ってしまった紙ヒコーキを取るには、机の上に乗ると取れるが、幼稚園では机の上に乗ってはいけないというルールがある。机の上に乗りたい誘惑を抑制できるかどうか
⑦ブランコB――自分がブランコの順番待ちに割り込むことを抑制できるかどうか
⑧パズル――やや難しいパズルを途中でやめたい気持ちを抑えて最後まで根気よくやり遂げることができるかどうか

図版テストの結果、それぞれの回答をした人数の分布と、日英比較の分析結果（カイ二乗検定）を表4-3に示した。ここではいくつかの場面において日本とイギリスの間で統計的に有意な文化差が見られる。自己主張場面では、①の《砂場》の場面では日本人とイギリス人の間に有意差が見られ、イギリス人幼児の方が日本人幼児よりも自己主張する傾向にある。《砂場》の場面は、第一章に述べた柏木の下位カテゴリーでは〈拒否・強い自己主張〉に分類される。いやなことはいやだとはっきり言えるのはイギリス人幼児であることがわかる。

一方、④の《ごっこ遊び》では、日本人幼児の方がイギリス人幼児より、自分はこの役（お

<table>
<tr><th>側面</th><th>場面</th><th></th><th>日本人(N)</th><th>イギリス人(N)</th><th>χ^2</th></tr>
<tr><td rowspan="8">自己主張</td><td rowspan="2">砂場</td><td>主張する</td><td>25</td><td>34</td><td rowspan="2">*</td></tr>
<tr><td>主張しない</td><td>20</td><td>11</td></tr>
<tr><td rowspan="2">遊びへの参加</td><td>主張する</td><td>35</td><td>39</td><td rowspan="2">n.s.</td></tr>
<tr><td>主張しない</td><td>10</td><td>6</td></tr>
<tr><td rowspan="2">ブランコA</td><td>主張する</td><td>29</td><td>35</td><td rowspan="2">n.s.</td></tr>
<tr><td>主張しない</td><td>16</td><td>10</td></tr>
<tr><td rowspan="2">ごっこ遊び</td><td>主張する</td><td>38</td><td>22</td><td rowspan="2">***</td></tr>
<tr><td>主張しない</td><td>7</td><td>23</td></tr>
<tr><td rowspan="8">自己抑制</td><td rowspan="2">花瓶</td><td>抑制する</td><td>27</td><td>19</td><td rowspan="2">†</td></tr>
<tr><td>抑制しない</td><td>18</td><td>26</td></tr>
<tr><td rowspan="2">紙ヒコーキ</td><td>抑制する</td><td>38</td><td>42</td><td rowspan="2">n.s.</td></tr>
<tr><td>抑制しない</td><td>7</td><td>3</td></tr>
<tr><td rowspan="2">ブランコB</td><td>抑制する</td><td>43</td><td>35</td><td rowspan="2">*</td></tr>
<tr><td>抑制しない</td><td>2</td><td>10</td></tr>
<tr><td rowspan="2">パズル</td><td>抑制する</td><td>24</td><td>30</td><td rowspan="2">n.s.</td></tr>
<tr><td>抑制しない</td><td>21</td><td>14</td></tr>
</table>

*** $p<.001$　* $p<.05$　† $p<.10$　n.s. 有意差なし　df=1

表４－３　図版テストの日英比較　Nは人数を示す。

統計の説明を簡単に述べると、「統計的に有意差がある」ということは、この数値の差が偶然に何％の確率で起こるかを計算し、その確率が５％より小さいことを示している。５％であればその確率は100回に５回しかないということになる。したがって、％が小さくなればなるほど二つの群間に差があることがより確実になる。

χ^2（カイ二乗検定）：観測して得られた分布と理論的に期待される分布との差が有意であるかどうかを検定する。

df（自由度）：χ^2の自由度は、χ^2の値が自由に出る程度であり、自由度が大きいほどχ^2値は大きく出るので、有意差を見るときに必要である。

母さん役・お父さん役・お姉さん役など）を取りたいと自己主張する傾向が顕著である。逆に、イギリス人幼児には「どれでもいいよ」と答える子どもが多かった。さらに興味深いことには、自分の性と役割の性が一致しなくてもかまわない（たとえば、男の子だけどお母さん役でも良い）と答える子どもも幾人もいた。つまり性役割の分化（男の子は男の子らしく、女の子は女の子らしく）もイギリスでは日本と比べて緩やかであるといえないだろうか。

自己抑制場面では、⑦の《ブランコB》において有意差が、⑤の《花瓶》において有意傾向が見いだされた。いずれも日本人幼児の方がイギリス人幼児より抑制する傾向にある。《ブランコB》では日本人幼児が集団場面での順番待ちのルールをイギリス人幼児よりきちんと守る傾向にあることがわかる。また、《花瓶》はこの章の冒頭に述べたように、相手に対する感情移入に基づくものであり、日本人幼児の方が抑制する傾向にある。イギリス人幼児はこの抑制場面でむしろ自己主張すべきだと答えた子どもの方が抑制すべきだと答えた子どもより多い。

そのほかの四場面では文化による有意差はあらわれなかった。

〈2　テストの結果から見えてくるもの〉

幼児の自己主張については《砂場》の分析結果が示すように、イギリス人幼児の方がいやなことはいやとはっきり言う傾向にあるといえるだろう。またイギリス人幼児はこのように他者が逸脱行為をした場合、先生に言いつけると答える子どもが比較的多かった。イギリスの幼児学校のなかには、トラブル発生時に先生に伝えることをむしろ奨励している学校もあった。幼児のトラブル場面における先生の介入については、文化によって考え方や対応の仕方が異なる。日本では、どちらかといえば、身体的な危険がないかぎり、子ども同士で解決する方が望ましいと考えられている。伝統的にもそうであったし、少子化の傾向が著しい今日では幼児の社会性を育む格好の場面であると考えられてもいる。

一方、イギリスでは、幼児期に先生の権威によってトラブルを解決することは、本来子どもの権利や自由を守るものとして認める場合も多い[4]。同様に、トビンやルイスらのアメリカの研究者たちは、トラブルが起きたときに日本の幼稚園の先生が子どもたち同士の解決を待ったり、クラスのリーダー的存在の子どもにけんかの仲裁を任せたりする傾向を観察し、アメリカの幼稚園の先生が直接介入する傾向と対比している。

イギリスの幼児教育に多大な影響を与えた前出のアイザックスは幼児のけんかへの介入について次のように書いている[5]。

「私たちは、体格も力も互角の子どもが、自分のけんかをしている限りは、安全上の必要以外の干渉をしなかった。しかし、年上の子が、弱い者や年下の者をいじめることは阻止した。必要とあればがっちりと押さえ込んででも、自分の面倒をまだ見きれない幼い子が傷つくのを防いだ。……この点については、私自身、開校後しばらくの間は確信が持てなかった。しかし、個々の自己防衛能力に差があり、攻撃心も強い一群の男児を受け持って間もなく、この問題は完全に自明のこととなった。けんか不干渉の原則には一定の枠がはめられるようになった。」（一〇六ページ）

以上のように、イギリスでは幼児期に先生がけんかに介入するスタンスが見られ、先生に言いつけることもある種の自己主張と解釈されている。

同じ自己主張場面でも、《ごっこ遊び》では日本人幼児の役割や属性についての関心やこだわりが明らかになった。第二章で述べたように日本は役割社会であり、その場に応じて状況主義的な行動をとる傾向にある。心理テストの実施中にも、日本人幼児は相手の属性、すなわち年齢、性、性格などを多くたずねる傾向にあった。「この子どんな子?」「ちいさい子、おおきい子?」「いじわるな子なんじゃないの?」と質問したり、「ちいさい子ならゆずってあげる」「らんぼうな子だと無理」などと答える。また相手が自分と同性か異性かによっても対応を変える傾向にあった。それに対して、イギリス人幼児はやはり場面を越えたパーソナリティの一貫性を示す傾向にある。相手の属性にはほとんど興味を示さない。《ごっこ遊び》の図版テストで「なんの役でもいいよ」とあっさり答える男児に「きみは男の子だけどお母さんの役になってもいいの?」と自分の性と役割のうえでの性が一致しないことをテスターの私が指摘すると「あそびなんだからべつにかまわないでしょ」と答える子もいた。反対に日本人の女児は「おかあさん役じゃないとぜったいイヤ!」とこだわる子が多い。

また、日本人幼児とイギリス人幼児の間で統計的な有意差は出なかったものの、主張場面の《遊びへの参加》や《ブランコA》のプロトコールには興味深い差異が見いだされた。日本人幼児は、図版の場面の状況をより詳細に捉えようとする。そして「おんなの子おおいなあ」とか「この子せなかむけてるから言いにくい」と主張をためらう。また「空いていれば(入れる余地があれば)言う」とか「もうあそびがはじまっちゃってるからダメ」と遊びに参加するタイミングを見ている子どももいた。

幼児の自己抑制については、やはり《花瓶》の課題のプロトコールに見られた顕著な文化差が興味深い。この課題自体に、相手を思いやって自分の気持ちを抑えるという日本人特有の対人関係の価値が内包されている可能性が高い。そういった意味では文化比較を行ううえでバイアスがかかっている課題だったのかもしれないが、この課題を通して日本とイギリスの幼児の自己と他者の心理的距離の差異が明らかになった。また、〈ルールへの従順〉を見る《紙ヒコーキ》では有意差こそないが、イギリス人幼児の方が、日本人幼児より先生の言いつけを守り抑制する傾向が高いのに対し、《ブランコB》の集団場面で順番を守ることについては日本人幼児の方が高い発達を示した。

また、日本人幼児とイギリス人幼児のプロトコールにはいくつか共通するものも見いだされた。そのひとつは主張するときに丁寧な表現を使うことが有効だと考えていることである。それは「入れてくださいって言う」「Can I have my turn, please?（そろそろかわってくれる？）」という表現にあらわれる。しかし一方では「ゴチャゴチャ言わずにさっさと入る」と答える日本人幼児と「Just join in.（さっさと入ってしまう）」と答えるイギリス人幼児には同じようにあらたまって「入れて」と頼むよりその方が実際入りやすいと考えている様子が伝わってきた。

図版テストの結果からは日本人幼児には第二章と三章に述べた感情を重視する態度、自己と他者の心理的距離の近さ、状況主義と役割志向の芽生えが見られる。一方、イギリス人幼児には客観的な事実を重視する態度、自己と他者の間に一線を画する態度、パーソナリティの場面を越えた一貫性の芽生えが見られる。

母親のアンケート調査の結果から

それでは、母親のアンケート調査の結果について見てみよう。このアンケート調査は図版テストを受けたロンドン在住のイギリス人幼児、ロンドン在住の日本人幼児、東京在住の日

自己抑制の項目

〈遅延可能〉
・「後であげます」と言えば待つ
・「ちょっと待っていなさい」と言えば待つ
・相手の話を終わりまで聞ける
・ブランコやすべり台など、何人かの友達でかわりばんこに使える

〈制止・ルールへの従順〉
・してはいけないときがあることを知り、しない
・他の子の始めたいたずら、ふざけにすぐつられない
・してはいけないと言われたことはいちいち言われなくてもしない
・友達のものや他の子が使っている玩具をほしくてもとらない

〈フラストレーション耐性〉
・自分には不都合だったり損なことでも他の人のために譲れる
・勝ち負けのあるゲームで負けてもそれを受け入れられる
・ごっこ遊びの役ぎめの時、なりたい役になれなくても我慢する
・仲間と意見の違うとき、相手の意見も受け入れる

〈持続的対処・根気〉
・たとえばなにかを作っているときなど、途中で失敗してもあきらめない
・自分のしたこと（絵や工作）をひとにけなされてもしょげない
・つまらなかったり難しいことでも途中で放り出さずに最後までやり通す
・少し難しいことでも尻込みせずにやってみる

自己主張の項目

〈独自性・能動性〉
・図画や工作などアイディアを自分でまとめる
・他の子に自分の考えやアイディアを話す
・人から促されなくても行動が起こせる
・意見を聞かれると人のまねでなく自分なりの考えを出す

〈遊びへの参加〉
・遊びたい玩具を友達が使っているとき、「貸して」と言える
・入りたい遊びに自分から入れてと言える
・遊びたい友達を自分から誘って遊べる
・自分のやりたい遊びを友達を誘って始める

〈拒否・強い自己主張〉
・自分の順番に他の子が割り込んできたとき「いけない、私の番だ」と言う
・いやなことははっきりいやと言える
・他の子どもと自分の意見が違っていると臆せずに主張する
・友達に意地悪されたりいやなことをされるとやめてくれと言える

表4－4　アンケートの内容（柏木、1988、文献(6)より項目を選択）

本人幼児の三つのグループの母親を対象に行った。それぞれのグループの母親が子どもの自己主張と自己抑制の発達をどのように捉え、どう評価し、どのようなしつけをしているかに焦点を当てた。なお、本書ではロンドン在住のイギリス人幼児と東京在住の日本人幼児の母親のアンケート調査の結果に限定して比較する。

〈1　アンケートの内容〉

まず、アンケートの内容について簡単に述べる。第一章に述べたように、柏木の幼児の人間

関係における自己主張と自己抑制の発達の調査研究[6]から、自己主張・実現の側面では三つの下位カテゴリー、すなわち〈独自性・能動性〉、〈遊びへの参加〉、〈拒否・強い自己主張〉が、自己抑制の側面では四つの下位カテゴリー、すなわち〈遅延可能〉、〈制止・ルールへの従順〉、〈フラストレーション耐性〉および〈持続的対処・根気〉が見いだされている。この自己主張と自己抑制の七つの下位カテゴリーごとに四項目ずつ、計二八項目を抜き出した（表4－4参照）。選んだ基準はやはり日本とイギリスの文化比較を行ううえでバイアスがなく、英訳したときにわかりやすいものである。

これらの自己主張と自己抑制の二八項目について、まず、母親に自分の子どもの発達を四段階（よくある・多い方・少ない方・ほとんどない）で評定してもらい、それぞれを4～1点として各集団の平均値を出した。そして、各項目について子どもの行動が多かったり少なかったりすることについてどう思うかの評価（困る・やや困る・ややよい・非常によい）、さらにそれらの行動への対応（よく叱る・時々叱る・時々ほめる・よくほめる・何もしない）についてたずねた。さきの図版テストと同じように、日英の年齢の分布のバランスが良い五歳児（日本人幼児三〇人、イギリス人幼児二六人）と六歳児（日本人幼児一五人、イギリス人幼児一九人）のデータをあわせた各群四五人を比較し分析する。

〈2　分析結果〉

①幼児の自己主張と自己抑制の発達の日英比較

イギリス人母親と日本人母親の、自分の子どもに対する自己主張一二項目と自己抑制一六項目それぞれの発達の評定に差があるかどうかを見た（平均値の差をT検定）。表4－5に示されているように自己主張については統計的に有意な差が見られた。イギリス人の母親が日本人母親より自分の子どもの発達を高く評定する傾向にある。しかしながら自己抑制については有意差は認められなかった。つまり、母親の観察によれば、イギリス人幼児の方が日本人幼児より自己主張の発達が著しく、自己抑制については日英で差がなかった。

次に男児と女児の性別で日英を比べてみた。表4－6にその結果を示した。性別の比較では男児・女児ともにイギリス人幼児の自己主張の発達が日本人幼児と比べてより著しい。有意差こそないが有意傾向が見いだされる。またわずかではあるが、自己主張の側面では日本人の男児はイギリス人女児より平均値が低い。自己抑制については男児・女児ともに日英で有意差が見られなかった。

次に下位カテゴリーごとの比較を試みる。自己主張の側面では、〈独自性・能動性〉と〈拒否・強い自己主張〉で、イギリス人幼児の方が日本人幼児より発達が著しい。〈遊びへの参加〉では日英で有意差は見られなかった。

Nは人数を、（　）内は標準偏差値を示す

側面	日本（N＝45）	イギリス（N＝45）	T値	p
自己主張	2.952（.457）	3.150（.348）	−2.377	＊
自己抑制	2.865（.358）	2.895（.316）	−.404	n.s.

＊ p＜.05　n.s. 有意差なし

側面	日　本		イギリス		T値	p
自己主張	男児　27人	3.028（.412）	男児　19人	3.241（.329）	−1.875	†
	女児　18人	2.838（.401）	女児　20人	3.063（.352）	−1.838	†
自己抑制	男児　27人	2.815（.326）	男児　21人	2.899（.370）	−.835	n.s.
	女児　18人	2.941（.399）	女児　20人	2.891（.259）	.467	n.s.

† p＜.10　n.s. 有意差なし

表４－５（上）　**自己主張と自己抑制の平均値の日英比較**
表４－６（下）　**自己主張と自己抑制の性別比較**
Ｔ検定は二つのグループの平均値の差が０であるという帰無仮説を検定する

自己抑制の側面では〈遅延可能〉において日本人幼児の方がイギリス人幼児より発達が著しい。しかしながら、〈制止・ルールへの従順〉では、逆にイギリス人幼児の方が日本人幼児より発達が著しい。〈フラストレーション耐性〉、〈持続的対拠・根気〉では日英で有意差は見られなかった。以上の下位カテゴリーごとの比較を表４－７に示した。

このように、イギリス人幼児は自己主張の二つの下位カテゴリー〈独自性・能動性〉と〈拒否・強い自己主張〉において発

側面	下位カテゴリー	日本（N＝45）	イギリス（N＝45）	T値	p
自己主張	独自性・能動性	2.878（.390）	3.099（.319）	−2.916	**
	遊びへの参加	3.111（.590）	3.142（.527）	−.261	n.s.
	拒否・強い自己主張	2.867（.625）	3.128（.554）	−2.056	*
自己抑制	遅延可能	3.233（.460）	3.000（.465）	2.395	*
	制止・ルールへの従順	2.906（.550）	3.128（.461）	−2.060	*
	フラストレーション耐性	2.739（.586）	2.657（.453）	.731	n.s.
	持続的対処・根気	2.583（.664）	2.818（.543）	−1.825	n.s.

** p＜.01　* p＜.05　n.s. 有意差なし

表4－7　自己主張と自己抑制の下位カテゴリーの日英比較

達が著しい。また自己抑制の側面では〈遅延可能〉と〈制止・ルールへの従順〉において、イギリス人幼児の発達が日本人幼児と比べてより著しいのである。第三章で述べたキングの幼児学校の先生による子どもの認知・評価の中枢に〈ルールへの従順〉があったのは図3－2の通りである。

さらに詳しく、下位カテゴリーの比較を性別で見てみよう。表4－8に示したように、自己主張の側面では〈独自性・能動性〉においてイギリス人女児の方が日本人女児より発達が有意に著しく、男児についてもやはりイギリス人の方が日本人よりその発達が著しい傾向が見られる。〈遊びへの参加〉と〈拒否・強い自己主張〉については性別の比較では日英で差は見られなかった。

自己抑制の側面ではイギリス人男児と日本人男児の間に有意差は見られなかった。ただし〈遅延可能〉において日本人女児の方がイギリス人女児より発達が著しい。〈制止・ルールへの従順〉、〈フラストレーション耐性〉、〈持続的対拠・根気〉については性別の比較では日英で差は見られなかった。

母親へのアンケート調査の結果から、自己主張の側面ではイギリス人幼児の発達が著しく、ことに〈独自性・能動性〉、〈拒否・強い自己主張〉において差が見られた。第一章で述べたように、今日の日本の教育現場で顕在化している問題のひとつとして、創造性・自発性の欠落が挙げられるが、本研究の日英比較のデータからもそれは明らかになった。また「いやなことはいやだ、とはっきり言えない」傾向についても同様に本研究のデータにおいて確認された。一方、自己抑制の側面では日英で大きな差は見られなかった。イギリス人幼児が日本人幼児と同様に自己抑制の側面も発達させていることがわかる。

このように私が第二章や第三章で示した、イギリス人が子どもの自己主張と自己抑制の両方を育み、一方日本人は子どもの自己抑制の発達を重視しているという仮説は、幼児を対象とした図版テストと母親を対象としたアンケートに基づいた私自身のデータにおいて立証さ

側面	下位カテゴリー	性別	日本	イギリス	T値	p
自己主張	独自性・能動性	男児	2.889 (.406)	3.083 (.310)	−1.819	†
		女児	2.861 (.376)	3.114 (.334)	−2.222	*
	遊びへの参加	男児	3.194 (.590)	3.228 (.476)	−.220	n.s.
		女児	2.986 (.585)	3.048 (.574)	−.331	n.s.
	拒否・強い自己主張	男児	3.000 (.597)	3.262 (.550)	−1.560	n.s.
		女児	2.667 (.630)	2.988 (.535)	−1.697	n.s.
自己抑制	遅延可能	男児	3.167 (.433)	3.098 (.547)	.496	n.s.
		女児	3.333 (.493)	2.898 (.342)	3.177	**
	制止・ルールへの従順	男児	2.833 (.542)	3.046 (.448)	−1.472	n.s.
		女児	3.014 (.559)	3.214 (.470)	−1.217	n.s.
	フラストレーション耐性	男児	2.704 (.505)	2.648 (.420)	.416	n.s.
		女児	2.792 (.703)	2.667 (.496)	.649	n.s.
	持続的対処・根気	男児	2.556 (.622)	2.773 (.626)	−1.212	n.s.
		女児	2.625 (.734)	2.864 (.455)	−1.254	n.s.

（注）各群の男児・女児の数は表4－6に同じ

** p＜0.01　* p＜0.05　† p＜0.10　n.s. 有意差なし

表4－8　自己主張と自己抑制の下位カテゴリーの日英の性別比較

れた。

②子どもの自己主張と自己抑制に関わる母親のしつけ――日本の母親とイギリスの母親

子どもの自己主張と自己抑制の各項目に対する母親の評価が高いグループと低いグループに分け、またその評価の結果、子どもをほめたり叱ったりして対応（しつけ）をするグループと子どもに対応しないグループに分け、その掛け合わせにより母親を四つのタイプに分けた。

仮に、低い評価だけれどもしつけをしないグループを《放任型》、低い評価でしつけをする《しつけ型》、高い評価でしつけをしない《受容型》、高い評価でさらにしつけをする《強化型》と呼ぶことにする。その四つの型の分布を自己主張と自己抑制の側面ごとに国別に示したものが表4-9である。なお、この分析は日英の被験者をすべて含めたデータ（日本人幼児母親七三人、イギリス人幼児母親五二人の回答）に基づいている。

まず、自己主張の側面について見ると、イギリス人の母親は《強化型》が五割近くおり、《放任型》が日本人の母親と比べて少ない。また自己抑制の側面についてみると、イギリス人の母親の六割が《強化型》で、《放任型》はわずか二・六％である。一方、日本人の母親は、《放任型》が三割近くもいる。そして、日本人の母親は自己主張に比べると自己抑制の

側　　面	自己主張の側面		自己抑制の側面	
群／母親のタイプ	日本人（N＝73）	イギリス人（N＝52）	日本人（N＝73）	イギリス人（N＝52）
放任型（低い評価で対応なし）	25.8%	15.4%	27.4%	2.6%
しつけ型（低い評価で対応あり）	19.7%	17.9%	32.3%	28.9%
受容型（高い評価で対応なし）	25.8%	17.9%	11.3%	7.9%
強化型（高い評価で対応あり）	28.8%	48.7%	29.0%	60.5%
計	100%	100%	100%	100%

表４－９　日英の母親のタイプを比較

側面では《受容型》がより少なく、《しつけ型》が多くなる。

イギリス人の母親は、《しつけ型》と《強化型》が多く、子どもの自己主張や自己抑制への評価が低い場合にも高い場合にもきちんと対応するいわば能動的なしつけのパターンを見せる。そして、子どもの現状がよくないと評価しながら何ら対応しない《放任型》が日本人と比べて非常に少ない。それに対し、日本人の母親は四つのタイプにほぼ四分化されている。そこにはイギリス人の母親に見られるようなめりはりのきいたしつけの根本的なヴィジョンが見えてこない。

これはいったいなぜなのだろう。さて、次の第五章では、この幼児教育の日英比較から明らかになった日本人の母親のしつけの特徴を基に、日本人の対人関係と子育て、そして子どもの自己の発達について見つめてみよう。

第五章　日本人の対人関係と子どもの自己の発達

「ロンドンで子育てができて幸せ」

新聞に次のような投書が載っていた。ロンドン在住の主婦、キャノンみどりさんが日本に一時帰国したときのことを書いている。

「一歳五ヵ月の長男を連れ、当時妊娠六ヵ月の私と、重いスーツケースを引きずった夫は、あれほど大変な思いをするとは想像もしていなかった。

東北新幹線に乗ろうとしたとき、駅にエレベーターがあったが動いていなかった。困っていると、声をかけてくれたのは若い女性だった。彼女に乳母車を持ってもらい、私は子供を抱いて階段を駆けあがり、なんとか発車に間に合った。

東京駅のホームでは、下りのエレベーターがなかったので、夫は荷物を一つずつ階段の下まで何往復かして運ばざるをえなかった。……

ロンドンでは電車の中や駅で、絶妙なタイミングで男性が声を掛けてくれる。必ずと言っていいほど、誰かが助けてくれる。

久しぶりに帰国した日本は、元気に働く人のための社会だとつくづく思った。ロンドンで子育てができて幸せだったと感じた」(『読売新聞』二〇〇〇年二月十一日)

この投書を読んで、私も外国の街角の情景をいくつも思い出した。ニューヨークで当時妊娠五ヵ月の日本人の友人とバスに乗ったときのことである。治安が悪く黒人の犯罪が目立つ頃だったが、バスに乗ったとたん、入り口の傍に座っていた黒人の男性がさっと席を代わってくれた。友人は「あら、ありがとう」と言ってうれしそうに座った。またロンドンでは、ベビーカーに一歳児を乗せた友人と地下鉄に乗って出かけたとき、階段の下まで来て女性二人で子どもとベビーカーを持ち上げようとすると、太い腕がのびてきて、「上まで持ってってやるよ」と助けてくれた。友人がお礼を言うと「なんでもないことだよ」と歩き去った。「いつもこうなの。必ず誰かが助けてくれる。だから自分ひとりでもロンドンでは地下鉄で子どもと出かけられる」と友人は言う。

ロンドンはニューヨークに比べると安全だと言われるが、日本に比べるとやはり治安上気を使うことは多い。市内の周遊切符を買って地下鉄を利用したとき、行きの出口の自動改札機ですぐ前の乗客に切符をとられてしまって私が啞然としていると、地下鉄の職員に「周遊切符を買ったら、とられないように気をつけなきゃだめにきまってるじゃないか」と叱られたこともある。治安は日本ほど良くないが、公共の場所で困っている人、助けを必要とする人に手を差し伸べてくれる親切はアメリカやイギリスではごく自然なことである。

思いやりと日本の社会

私が、子育て支援の小さなレクチャーをしたとき、少し年配の受講生が次のような話をしてくれた。

「日本は冷たい社会です。今朝、雨がひどかったけれど、自転車に乗って池袋の駅まで来ました。自転車ごと倒れてしまい、起き上がれない状態になりました。ちょうどバス停の傍で、バス停には一〇人ほどサラリーマンが並んでいましたが、そのうちだれひとりとして助けてくれる気配はありませんでした。雨に濡れて一〇分も経った頃、若い女性が通りかかって助け起こしてくれたのです」

大学の授業では、シンガポールから来た女子留学生が言う。

「日本は礼儀正しい国だとシンガポールで学んできました。ところが初めて山手線に乗った日に、突き飛ばされて転んでしまい、もっと悪いことにはだれも助け起こしてくれなかったのです。長い間日本人が信頼できなくなりました」

これはいったいどういうことなのだろうか。前章の図版テストの日英比較の分析でも見たように、日本人はことのほか、他者への思いやりを重要視している。日本では子どもに身につけさせたい性格として男児・女児を問わず「思いやりのある」が一位となっている。(1) また、トビンら(2)の日本、中国、アメリカの三国間の比較研究では「幼稚園・保育園で子どもが学ぶもっとも大切なことは何でしょうか」と先生や保護者に調査したところ、日本では「共感・同情・他の人への心配り」の回答がもっとも多く、他の二国に比べて断然その傾向が高いのであるが。

理由はいくつか考えられる。ひとつには東[3]の述べるように、日本人のやさしさが「やさしくすべきだ」「やさしくしたい」という個人の意志に基づいた自覚的なものではなく、人とはこう接するものだという伝統的な筋書きにしたがって行動する習俗的なやさしさであるからではないだろうか。「社会のやさしさがハンディを抱えている人、競争に負けた人がどう扱われどう考えられているかによって判断できるとすれば、情感的なレベルでのやさしさとは裏腹に日本はあまりやさしい社会ではないのではないか」（一八ページ）と東は論じている。

たしかに、前章の幼児の図版テストのプロトコールにあった「あんまりなかすとおこられる」「おこるとおかあさんにしかられる」などは、親に「相手の気持ちを考えて自分の気持ちを抑えるもの」と教えられてしかたなくそうするものと思っているのかもしれない。また対人関係のトラブルが親や先生の目にとまるほど大きくなってはまずいと考えている可能性もある。日本ではトラブルが起きたときに自分と相手のどちらが正しいかを問われるより、そもそも対人関係上トラブルが発生すること自体がまずいと周囲から思われる傾向にある。

また、守屋は前出の研究[4]で、日英の子どもの『おおきな木』という本への感想を比較して、次のように解釈している。イギリスの子どもたちは主人公の「少年」を非難するときに、彼が「りんごの木」に対して応分のお返しをしないことを非難する。それとは対照的に、日本の子どもたちは、「少年」が「木」にお詫びやお礼を言わないことを非難する。これは日本の社会の大人たちの美意識、すなわち他人に親切にした場合、相手から応分のお返しを期待することはあまりないことと一致する。ところが、ここで皮肉なのは、応分のお返しを期待する「与える―もらう」の関係の社会において親切が対人関係上円滑に機能しうるのに対し、日本の社会では親切が無償であるべきと考えられるためにかえってうまく機能しない「与えない―もらわない」社会になっているのではと述べている。

さらにいえば、日本人の場合「相手がかわいそうだ」という感情移入能力は高くても、実際に相手を助ける援助行動を行う実行力に欠ける傾向にある。第一章の「たくましい社会性」の日米比較のデータ(5)からも日本の小学生は「泣いている子を見ていると自分まで悲しくなる」感情移入能力はアメリカ人の子どもより高かったが、「悲しそうにしている人をはげますことができる」と答えたのはアメリカ人の子どもがより多かった。

つまり日本人の場合、困っている人への思いやりを実際に行動で示すことは結果的には欧米より少ないことになる。

場面のコンテクスト――ウチ・ソトとオモテ・ウラ

第三章で日本人は状況主義であると述べた。これはその場の状況によって自分の対人的な対応を変えることである。リブラ[6]はこの日本人の対人関係における状況主義を次のように見ている。図5－1に示されているように、日本人の自己はウチ・ソトとオモテ・ウラの組合せにより、〈親和的な状況〉、〈儀礼的な状況〉、〈無秩序の状況〉の三つの状況において臨機応変に適応する。ウチ・ウラの組合せの〈親和的な状況〉は家族や親しい友人、気心の知れた仲間と関わる場でよく見られる。ソト・オモテの〈儀礼的な状況〉は、学校や職場などの上下関係を含む人間関係においてよく見られる。そして、行動規範の存在しないソト・ウラの〈無秩序の状況〉がある。日本人はウチ・ウラの組合せの〈親和的な状況〉、ソト・オモテの〈儀礼的な状況〉においては過剰ともいえるほどの他者への気配りを見せるのに対し、ソト・ウラの〈無秩序の状況〉においては、ラッシュアワー時の電車のなかのふるまいや、外国での団体ツアー旅行時のマナーの悪さに見られるような恥知らずで厚顔な態度にでる。これは場面を越えたパーソナ

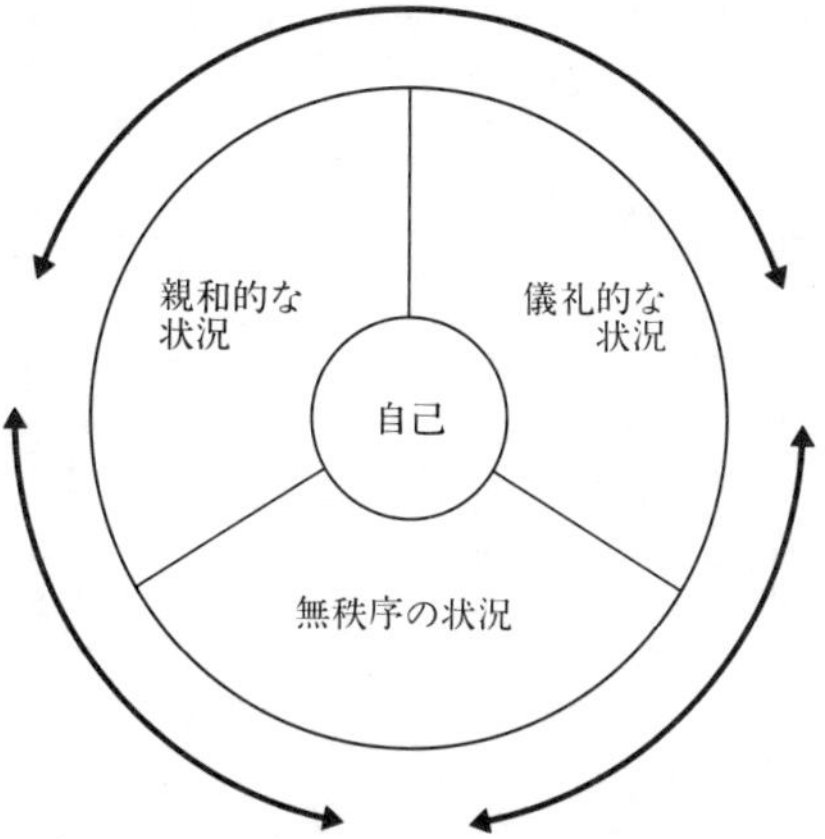

図5－1　日本人の対人関係における状況主義（Lebra、1976、文献(6)改変）

リティの一貫性を培おうと努力している欧米人にとっては驚くべきことである。

〈無秩序の状況〉は、リブラの風刺的表現を借りると、生き残りをかけた（？）競争状態で起こる。電車に乗るために押し合いへし合いする日本人を見ると、外国人は普段の礼儀正しい日本人との落差に驚かされる。〈無秩序の状況〉はもちろんすべての文化において見られる現象だが、日本人の特徴は〈親和的な状況〉、あるいは〈儀礼的な状況〉との対人行動の落差が激しいところにあるとリブラは論じている。

外国生活の長かった日本人がよく述べるように、日本人は知っている人とそうでない人への接し方に大きな落差がある。欧米の公共の場所では後から来る人のためにドアを押さえてちょっと待ってあげたり、エレベーターに乗り合わせた同士、軽くほほえんでわずかな時間でも良い雰囲気を作ろうとする。日本では、エレベーターや公共の乗り物のなかで、知り合い同士の傍若無人な会話や、そこに居合わせている他の人がまるで存在しないかのようなふるまいをよく見かける。日本人はパーティが苦手だと言われるが、パーティなど既知の人と未知の人が混じっている場面では知り合い同士固まって、新しい人とは話をしない、話ができないことが多い。

日本人の場合、ソト・ウラの〈無秩序の状況〉で見知らぬ人に手を差し伸べたり、困っている人に気を配ることはできにくい。日本人の述べる思いやりや、心配りは、〈親和的な状況〉の自分の親しい人、好きな人、あるいは〈儀礼的な状況〉の直接の利害関係（上下関係）のある人に対してであって、たまたま同じ場所に居合わせた見知らぬ人に対しては適用されないのである。相互依存や思いやりを謳う日本の都市、東京の街が、独立心や自立を旨とする欧米の都市、ロンドンやニューヨークの街角より、ときとしてきつい、孤独な街に見えるのはそのせいであろう。

感情と主観的判断

さて、日本人の対人関係において上記のような状況主義を縦糸とすると、横糸は感情であろう。

第二章で、イギリス人と日本人を対比して、そのパーソナリティ形成の土壌に理性主義と感情主義の基本的な違いがあると述べた。日本文化と感情について、マツモトら(7)は興味深い考察をしている。第一に日本文化では、感情が集団や地位に大きな影響力を及ぼすだけでなく、人々の関係に中心的な役割と機能を果たしている。第二に感情は自分の属している集団とそうでない集団を区別するのに役立つ。感情が集団の和を守り結束を保つ社会的な「にかわ」の役目を果たしているからである。第三に日本では、社会的かつ文化的な「建前と本音」の感情の表示規則があるために、本当の気持ちとは関わりなくある種の顔の表情を示さなければならない。自分の気持ちを偽ってでも他人の気分を害さないように、あたりさわりのない表情を示すように文化的に求められている。

また、アメリカ人と日本人の比較においてマツモトらは、日本人は自分の感情の因果関係の帰属（だれがこのような感情を引き起こしたのか吟味する）をしたがらない傾向にあることを見いだしている。感情の帰属をすると他人とのトラブルになりやすいので、そうした対人的な葛藤を積極的に避けようとする。と同時に、相手の否定的な感情も知覚せずに「見て見ぬ振り」をすることにより相手との対決を避けようとする傾向にある。ことに、怒りの感情については、欧米では公正さを欠く状況で頻繁に怒りが示されるのに対して、日本では不公正さをただそうとするよりも「長いものには巻かれろ」とか「見て見ぬ振り」をしておこうというような、事なかれ主義や諦観が働いていると述べる。

また、梶田[8]は、対人関係において自己と他者の間でなにかトラブルが生じたとき、どう対応するかについて次の六つの方向性を挙げている（一七七ページ）。

①方向探索——原因・理由を明らかにしようとする。
②自譲志向（自我縮小）——自分が引き下がることによって解決しようとする。
③他譲志向（自我拡大）——相手を引き下がらせることによって解決しようとする。
④無譲志向（無問題化）——自分も相手も引き下がることなく、そこでそのまま解決でき

る方法を見いだそうとする。

⑤状況離脱志向――そこでの葛藤状況を離れ去ることによって、葛藤それ自体が自分自身にとって存在しなくなるようにしようとする。

⑥依存志向――だれか他者に依存することによって、その葛藤状況を自分自身の手で解決することから逃れようとする。

そして、欧米では一般に相手を引き下がらせる他譲志向が優位を示すのに対し、日本では伝統的に、無譲志向ないし状況離脱志向が優位を示すのではないかとしている。ここでもやはり、トラブルが生じたときに、日本人が「それはなかったことにする」という方略をとることが多いことが示唆されている。これらの対人関係のトラブルの原因の帰属や問題の所在を明らかにすることを避けて「それはなかったことにする」という方略は、日本人の対人関係において感情がもっとも重要であり、負の感情が対人関係に及ぼすリスクをいやと言うほど知っているからこそ選択されるのであろう。

他者が何を考えているのか、どういう気持ちなのか、どういう人柄なのかを知ることを「対人認知」というが、この対人認知は、通常の事物の認知とは大きく異なる特質を持っている。[9] そのひとつは、対人認知は時間・空間的に大きく広がる傾向を持つことである。すなわち数年前に相手がとった行動の記憶が現在の相手の認知に影響を及ぼしたり、相手の友人や持ち物など、その人に関連のある人やものが当人の認知に影響を及ぼしたりする。また対人認知は、その人を取り巻く周囲の人間から入手した情報や噂によっても左右されるであろう。

すると、日本のように人と人のつきあいが固定的で長期にわたる場合、個人が他者に与えたマイナスのイメージがその個人の対人関係全体に及ぼす影響は、たとえばアメリカなどの移動の多い国に比べるとより大きいものとなる。だからこそ、前出のマツモトらの述べるように日本人は感情（特に怒りや悲しみなどの負の感情）を覆い隠そうとする。

そして、さきのリブラの〈親和的な状況〉、〈儀礼的な状況〉、〈無秩序の状況〉の三つのカテゴリーを分ける基にあるウチ・ソトの線引きが絶えず変化するのが現代の日本人の対人関係の特徴である。たとえば人事異動による転勤や、所属していたクラブを退部するというような外側の枠組みの変化によってももちろん起きるわけであるが、より問題になるのは内側の変化である。それはちょっとした気配りの欠如や、自分の分をわきまえない口のきき方などによって相手に与えるマイナスの感情によって引き起こされる。つまりウチ・ソトの区分が感情によって変化しやすいのである。すると〈親和的な状況〉にあった相手との関わりが〈無秩序の状況〉へと変化することもある。これは対人関係が欧米に比べてより重要である日本人にとって大きな打撃となる。

これを未然に防ぐため、日本人は対人関係において胸のなかに渦巻く激しい感情を持っていても、それを表にあらわさないように抑制するという大きな矛盾を抱えている。

日本人の対人関係と子育て

さて、このような大人たちの対人関係の不文律は日本人の子育てにどんな影響を与えているだろうか。まず、状況主義はこのような場合にはこう行動するという規範が通用しにくい。また、感情主義は対人的なトラブルが生じたとき、その行為がいいか悪いかで判断するよりその人が好きか嫌いかの感情で判断することが多い。子どもの前で何が正しくて、何がそうでないのか、あるいは人にいやなことをされたときには一貫してどういう態度をとるべきなのかという親の考え方を提示しにくい。

そうなると、幼児を持つ日本人の母親たちは仲間とのトラブルが起きたときに自分の子どもをどうしつけてよいかわからない。それでいて、母親自身のなかではさまざまな迷いや葛藤を引き起こしているのである。九〇年代にマスコミを賑わせた「公園デビュー」や「公園ジプシー」といった現象に示されるように、子どもの遊び仲間を見つけることが難しい時代に、幼児を連れていった公園で母親たちは子どもの対人行動のしつけに神経をとがらせている。次の投書を見てみよう。

「公園は子どもをのびのび遊ばせるところだが、親としては気を使う場所でもある。色々の考えを持つ親が来ていて、それぞれに育児方針を持っているからだ。ところが、発育途上の子どもは、時にわがままで自分勝手な振る舞いをする。子ども同士のトラブルに対して、それぞれの親のとらえ方が違えば大人同士が気まずくなってしまうこともよくある。そうすると自然に、子どもが人に迷惑をかけないように事前に押さえ込んでしまうのだ。

ひところ公園デビューということばとともに、親が公園に入り込むことの難しさが話題となった。私自身も他の親と良好な関係を築くことばかりに気をとらわれ、子どもを置き去りにしたところがある。だが、子どもを主体にと考えても、どこまで自由にさせて、どこまで介入してよいのか、今でも迷い悩むことが多い」(『日本経済新聞』一九九八年三月十一日)

前出のマッツモトらも述べているが、欧米では公正さの意識が強い。私が事例研究をしたアメリカに住む日本人の女児は、アメリカの幼稚園に通い始めて半年もすると、しきりに「フェア(公正)じゃないわ」と口にするようになった。お母さんは「このひと、生意気でしょ」と恥ずかしがったが、いかにさまざまなトラブル場面でフェアかフェアでないかがアメリカの幼稚園で明示されているかを映し出している。子ども同士のもめごとの発生時に、公正さというひとつのものさしを提示できる欧米の母親と、その都度どう対応すべきか状況を読み、他者の気持ちを推し量り、頭を悩ます日本人の母親は対照的である。

母子の一体感としつけ

第三章で日本とイギリスの家庭教育を比較して、日本人の母子に一体感が強いことを述べた。さて、子どもとの一体感が強い日本人の母親は子どもをしつける際にどのような態度をとるだろうか。

前出の守屋はリブラを引用し、日本の母親は子どもを叱るとき中国の母親がするように直接的な叱り方をしないと指摘する。[4] 中国の母親は子どもを叱るとき、「静かにしなさい」、「叩きますよ」とか「お母さんが笑われます」というように叱るが、日本の母親には「そんなことをしたら人に笑われますよ」というように叱る。そして、この間接的な叱り方はいつも母親が自分に指示を与えている人（たとえば、夫、親、世間）、自分が従属している人の基準を推し量って、自分独自の基準を持つことができないことと結びついていると述べる。日本の母親は権威を持って子どもを叱るより、「お母さんが笑われます」と母子が運命共同体であることを子どもの気持ちに訴えるのである。

間接的な叱り方のもうひとつの理由は、母親が子どもとの直接対決を避けたいところにある。母子の一体感が強い場合、母親は子どもを叱るのが苦痛である。子どもとの感情的な対立は母子の一体感を損ね、甘えの相互依存的な関係を揺さぶるからである。

さきに、日本人幼児の場合幼稚園での行いと家庭内のふるまいの落差がイギリス人幼児に比べて大きいと述べた。実際、東[10]によれば、日本、アメリカ、イギリス、フランス、タイ、韓国の六ヵ国の国際比較調査で、日本人の子どもは教師に対する従順反応率が高いのに対し、母親に対する従順反応率がきわめて低くその落差が大きいことが特徴的であるという（六七ページ）。

また、日米の小学校の比較から、恒吉[11]は日本の学校が学科のみならず、学科外活動に力を入れていることを指摘している。「アメリカの小学校では昼食はリラックスし、友だちとおしゃべりをし、おなかいっぱい食べる時間であるが、日本の小学校の給食では配膳の仕方、食べ方などの基本的生活習慣や協調性などをも指導しようとしている」と述べる。

たとえば、日本の小学校の給食のメニューは栄養のバランスを考え子どもの好き嫌いをなおすことをもひとつの目的としている。私が学校観察で給食を試食させてもらったとき、子どもたちにもっとも人気のないメニューが出された。それは魚の照り焼きで、人気がないのは見た目が悪いことと魚の骨があって食べにくいからと説明された。ハンバーグののりで口に入れてのどに骨が刺さり、病院に連れていくこともあると栄養士は話した。家庭で骨のある魚をお母さんたちが食べさせないからと。

このように日本の小学校は、子どもの食物の好き嫌いをなくすことについても関わっている。小学校の給食のメニューに嫌いなおかずが出て、お昼休みの時間になっても給食を残さず食べるよう指導された経験を持つ人も多いだろう。そして、それは家庭でお母さんが子どもの好き嫌いをなくすことができないからと考えられているし、母親もまた学校で子どもの偏食をなおしてくれたらと期待する。これも子どもがお母さんの言うことは聞かないが、先生の言うことは聞くことを前提としている。

この基本的生活習慣が身についていることこそ日本の母親がいい子であると考える一番の条件である(12)。幼稚園でも基本的生活習慣の確立を幼児の指導目標の第一に挙げる。けれども近頃、保育園や幼稚園を訪問すると、園長先生から基本的生活習慣の確立が遅れている園児が増えているというお話をうかがうことが多い。第三章で述べたように、乳幼児の生活時間の管理は日本の家庭ではイギリスと比べて緩やかであったが、夜遅くまで起きていて朝なかなか起きられない子、朝食を食べずに登園する子が以前よりよく見られるという。これも家庭内で母親が自分の子どもをしつけることが以前よりまた難しくなってきていることを示唆している。

叱らないのは基本的生活習慣を身につける家庭のなかだけではない。新聞には公共の場で自分の子どもを叱らない母親を批判する投書がいくつも載っている。

子供の乱暴止めぬ母親たち（『読売新聞』一九九六年六月二十九日）

「一番下の子供が幼稚園に入る今春まで、親子で近所の公園に通っていた。子供だからおもちゃの取り合いなどで喧嘩をしたり、言い合いになったりすることはあるが、そんなとき子供を止めたり、叱ったりしない親が実に多い。……幼児は物事を客観的にとらえる能力が備わっていないから、親に褒められたらいいこと、叱られたら悪いことという形でしか善悪の判断が出来ない、悪いことをしたときには行いを正してやらなければ、大きくなって利己的な人間になってしまう。子どもに人に対する思いやりと、最低限の社会ルールを教えるのは親の務めだと思うのだが」

子供を叱らない若い母親（『読売新聞』二〇〇〇年四月二十九日）

「娘の幼稚園の入園式に出席しました。園長先生のあいさつの時、舞台の上を走り回って騒ぐ子供が数人いました。先生たちが連れ戻しても、言うことをききません。……教室に戻っても、走り回ったり、机のうえに上がって書類をぐちゃぐちゃにしたり、先生のスカートをめくったりする子供がいました。でも、自分の子供を叱る親は誰一人としていませんでした。人前で叱ることはいけないことだと思っているのでしょうか。親が世の中のルールを教えなければ、だれが教えるのでしょう」

特に二番目の投書は、学級崩壊を予測させる混乱ぶりである。

また、文部省の、日本、韓国、アメリカ、イギリス、ドイツの小・中学生を対象に一九九九年に実施された国際比較調査[13]で、社会のルール・道徳心に関して、親から「よく言われる」と答えている子どもは、すべての項目で日本がもっとも少ない（図5−2参照）。「友だちと仲良くしなさい」、「弱いものいじめをしないようにしなさい」、「人に迷惑をかけないようにしなさい」、「先生の言うことをよく聞きなさい」、「物を大切にしなさい」のいずれの項目においても、イギリスと比べて日本はしつけがなされない傾向にある。

以上のように、基本的生活習慣の確立のためのしつけや、社会での対人行動のルールを守るしつけについて、現代の日本人の親、特に育児を担うことの多い母親のしつけの機能はこのように低下していると言われる。

ここにもまた大きな矛盾がある。一方では対人関係にやたら気を使い、言いたいことも言わずに我慢しているが、もう一方で「他人に迷惑をかけない人間に育てる」という日本の伝統的な子育ての基本が大きく揺らいでいるのである。それはなぜだろうか。ひとつには地域での人間関係が希薄になってきているからであろう。さきのリブラのカテゴリーでいえば、ソト・ウラの「無秩序の状況」が増大し、ウチ・ウラの「親和的な状況」のカテゴリーがど

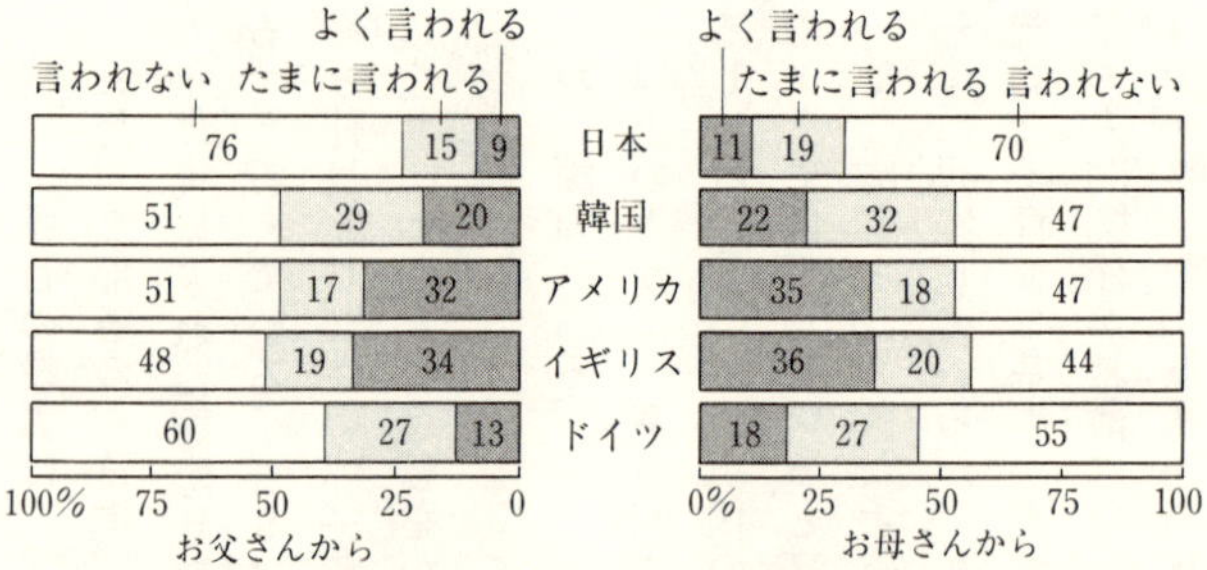

弱いものいじめをしないようにしなさい

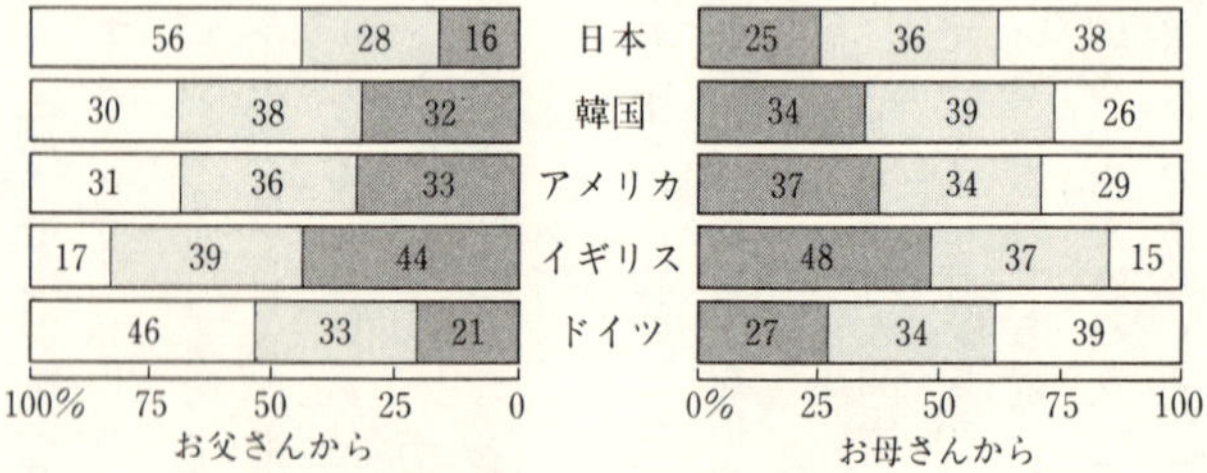

人に迷惑をかけないようにしなさい

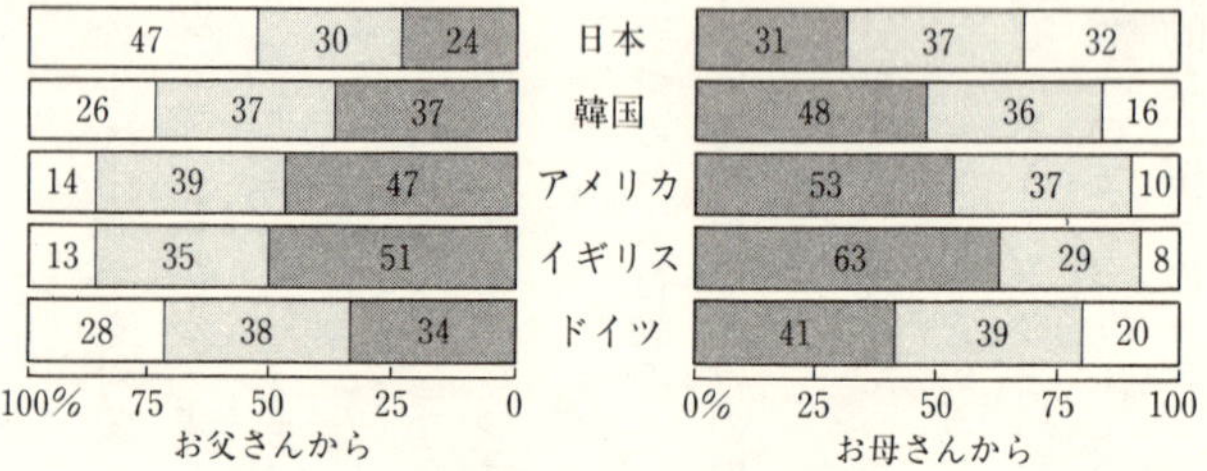

物を大切にしなさい

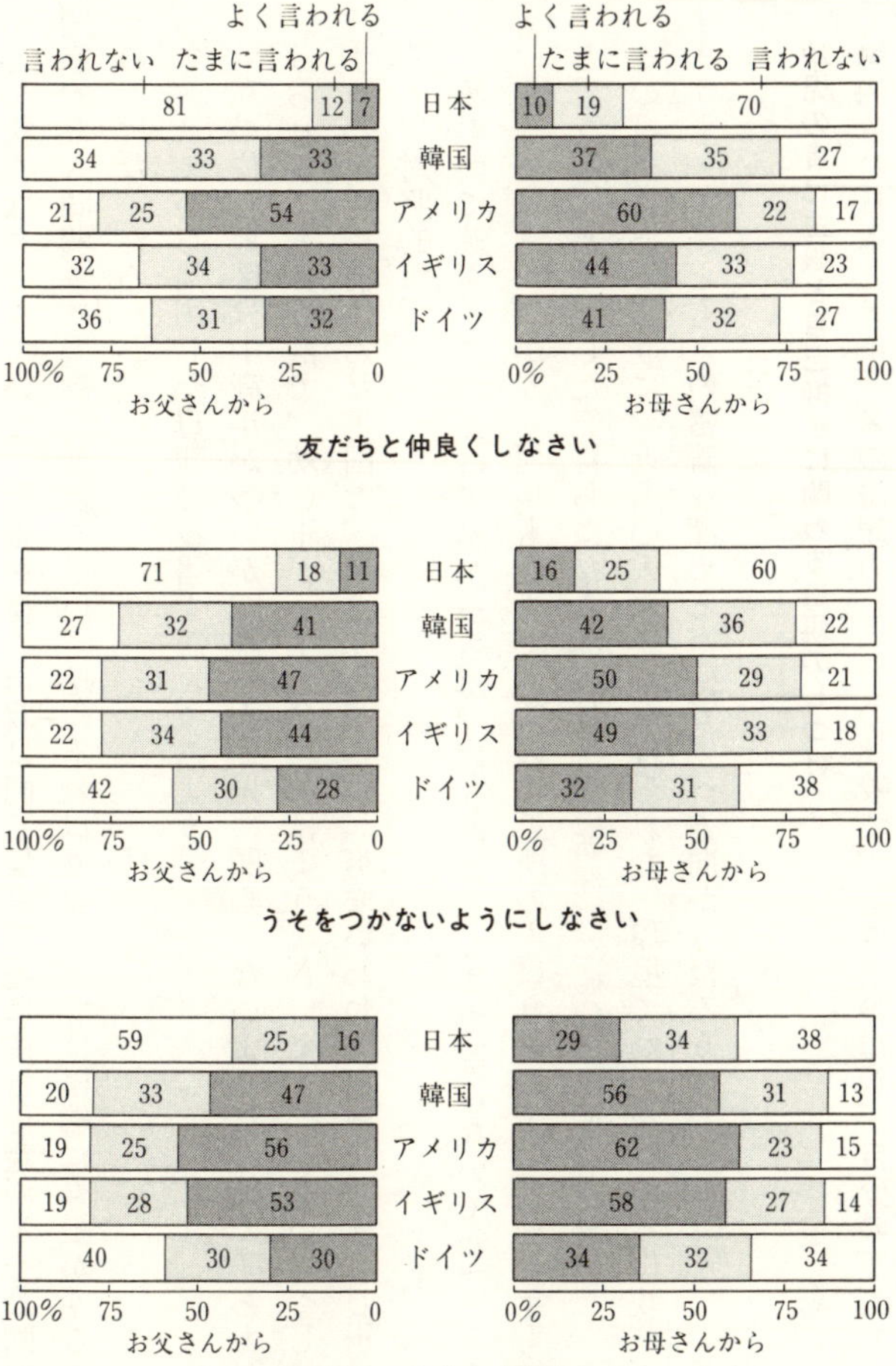

図5－2　お父さんやお母さんから言われること（社会のルール・道徳心）（文部省、2000、文献(13)より抜粋）

んどん狭くなってきている。幼児を持つ母親は同じ集合住宅に住む母親同士や公園仲間との閉塞的な人間関係に過剰に神経を使い、逆にそれ以外の状況では極端に緊張がゆるんでしまうのではないだろうか。

アメリカから帰国した母親の投書を読んでみよう。

「私の住む地区は中高年が多いが、誰一人幼児に関心がないようだ。街で子どもが声をかけられることは皆無で、幼い子が一生懸命『おはようございます』とあいさつしても目礼するだけ。以前住んだ米国で、出会う人ごとに『可愛いわね、何歳?』と話し掛けられたのとは対照的だ。

家の前で遊ぶ子にたまに声がかかるが、言うのは『ここで遊ばないでね』『ここには入っちゃ駄目よ』ばかり、何年も住んでいるのに近所の人はうちの子の名前も年も知らないと思うと、寒々とした気持ちになる」(『日本経済新聞』二〇〇〇年七月七日夕刊)

この投書にあるように、近所の人に声もかけられない環境で幼児を育てる母親たちは、ますますもって子どもとの密着を深める密室育児へと向かうだろう。

幼児の自己主張と自己抑制に関わる母親のしつけ

第四章の日本とイギリスの母親のしつけの比較で、日本人の母親が自分の子どものとった行動をいいと思う場合も悪いと思う場合もあいまいな対応に終わることを見た。それではなぜ日本人の母親は自分の子どもの現状に満足していない場合にもしつけをしないことが多いのだろうか。

この理由を探る目的で、日本国内で三歳児を持つ母親を対象に、アンケート調査と面接調査を行った[14]。アンケート調査は一九九五年十一月に、面接調査は一九九六年の四月から七月にかけて行った。

〈アンケート調査から見えてくるもの〉

アンケート調査では、日英比較研究に用いた図版テストの一〇場面のうち、自己主張場面を二つ、自己抑制場面を四つ選んだ。幼児向けの図版を応用する形で母親に図版を提示し、そのような場面で自分の子どもが主張したり抑制することができる、またはできないことへの評価と、そのような場合に母親としてどう対応するかをたずねた。

自己抑制の場面は以下の四つである。

（場面一）砂場で自分の子どもが友だちの使っているシャベルを何も言わずに取り上げてしまう自己抑制の失敗

（場面二）ブランコの順番に自分の子どもが割り込むという自己抑制の失敗

（場面三）今使っている玩具を友だちに貸してと言われたが貸すことができないという自己抑制の失敗

（場面六）自分が作った工作の花瓶を友だちが誤って壊してしまったが許すことができないという自己抑制の失敗

自己主張の場面は以下の二つである。

（場面四）ブランコの順番に割り込んだ子どもに抗議するという自己主張の成功

（場面五）入りたい遊びに自分から入れてと言えない自己主張の失敗

このアンケート調査の結果を表5－1に示した。

まず自己抑制の各設問に対する母親の評価（困る・やや困る・ややよい・非常によい）と対応（よく叱る・時々叱る・時々ほめる・よくほめる・何もしない）を見てみよう（表5－1—①参照）。上述のように、場面一は友だちの使っているものを取り上げてしまう行動であり、場面二は順番への割り込みである。母親の評価を見ると、両場面とも〈よい〉とする評価は当然のことながら0であるが、〈困る〉とする評価が〈やや困る〉より多いのは場面二の方である。つまり母親の目から見ると、他児の持っているものをいきなり取り上げてしまう行動より、集団の順番待ちのルールを守れない行動の方をより問題だとみなしていることがうかがえる。そして母親の対応も《よく叱る》が場面二の順番を守れない状況においてより多い。つまり同じ自己抑制の失敗であっても、一対一のトラブル場面より、集団でみんなが守れることを自分の子どもだけが守れないことの方が大きな問題なのである。集団を強く意識した態度であるといえるだろう。

場面三と六はよく似通った評価と対応のパターンを示す。場面三は今使っている玩具を貸

自己抑制場面

設問	評　価		対　応	
1	困る	32.5%	よく叱る	59.5%
	やや困る	67.5%	時々叱る	31.6%
	ややよい	0%	時々ほめる	1.3%
	非常によい	0%	よくほめる	0%
			何もしない	7.6%
2	困る	57.5%	よく叱る	74.7%
	やや困る	42.5%	時々叱る	20.3%
	ややよい	0%	時々ほめる	0%
	非常によい	0%	よくほめる	0%
			何もしない	5.1%
3	困る	9.2%	よく叱る	13.2%
	やや困る	75.0%	時々叱る	52.6%
	ややよい	13.2%	時々ほめる	6.6%
	非常によい	2.6%	よくほめる	1.3%
			何もしない	26.3%
6	困る	6.5%	よく叱る	12.7%
	やや困る	79.2%	時々叱る	47.9%
	ややよい	13.0%	時々ほめる	7.0%
	非常によい	1.3%	よくほめる	1.4%
			何もしない	31.0%

表5－1－①　母親の評価と対応（自己抑制場面）

してと言われてもそうできない、場面六は自分の作った工作を友だちがうっかり壊してしまい許せないという状況である。どちらも三歳児にとっては難しい自己抑制の場面であり、母親の気持ちとしても相手を許容できない子どもの気持ちが理解できる場面である。したがって母親の対応も緩やかである。

自己主張・実現場面

設問	評　価		対　応	
4	困る	2.5%	よく叱る	2.5%
	やや困る	2.5%	時々叱る	3.8%
	ややよい	35.4%	時々ほめる	21.5%
	非常によい	59.5%	よくほめる	16.5%
			何もしない	55.7%
5	困る	6.5%	よく叱る	1.4%
	やや困る	84.4%	時々叱る	18.8%
	ややよい	9.1%	時々ほめる	7.2%
	非常によい	0%	よくほめる	1.4%
			何もしない	69.6%

表5－1－②　母親の評価と対応（自己主張・実現場面）

次に自己主張について見てみよう（表5－1－②）。場面四は順番の割り込みに対して抗議するという自己主張の成功場面であるが、〈非常によい〉が六〇％近くいる。〈ややよい〉を合わせると九五％にもなる。けれども母親の対応は《何もしない》が大半を占める。同様に、場面五は入りたい遊びに「入れて」と言えない自己主張の失敗場面であるが〈困る〉、〈やや困る〉が九〇％以上を占める。しかしながら対応としては《何もしない》が七〇％と多い。

このように、自己抑制の場面より自己主張の場面で、母親は子どものしつけがより消極的になる。

〈面接調査を通して見えてくるもの〉

アンケート調査に回答してもらった八六人の母親のうち、五八人には面接調査にも協力を得た。面接調査の内容は次のとおりである。

(1)母親が対応としては「何もしない」と答えている項目について、その理由をたずねる。

(2)子どもを公園やスーパーマーケットなどの公共の場面でしつける際に、周囲の目がどの程度気になるか、また他者(よその子ども、よその母親)への配慮が自分のしつけを躊躇させることがあるかをたずねる。

(3)子どもを叱ることについて強い心理的抵抗はあるか。あるとしたらその理由は何かをたずねる。

まず母親に、対応として《何もしない》理由をたずねた。表5-1—①、②に表れているように、自己抑制場面より、自己主張場面で《何もしない》傾向がより顕著である。

自己主張の場面四については、もしこれが公園などの遊び場で起きたような場合には、割り込みをした子ども、またはその母親への配慮から《ほめる》ことはしないと答える人が何人もいた。「後でさっきはえらかったねとほめることがあるけど、その子の手前黙っている」、「人に対してやめてと主張することはたしかにいいことですけれども、相手のこと考えたらその子はいやな思いするわけですよね」、「この割り込んだ子にしてみれば、そのときブランコにのりたいっていう気持ちが強かったかもしれないし……」、「そのとき子どもを遊ばせているメンバーの母親によっても私の対応は違ってくる」等のコメントが戻ってきた。自分の子どものしつけが周囲の目を意識したり他者の気持ちの忖度《そんたく》によって左右されることがわかる。

また抗議する行動そのものは悪いことではないけれど、自己主張ばかりになっても困るのでほめるほどでもないと答えた人が多かった。つまり、子どもの自己主張については母親はどう対応したらいいのかさだかではない。場面五については、遊びに入れてと言えるようになってほしいとは思うが、まず見守り、どうしても入れないようなら母親自身が促したり助け船を出すと答えた人が多かった。

面接調査で明らかになったことがもうひとつある。自分の子どもを《叱る》という行動そのものについて非常に心理的抵抗がある母親が多いことである。《叱る》ということばより、「話してみる」、「言い聞かせる」、「教える」、「促す」、「ことばがけをする」、「説明する」、「提案する」、「～の方向にもっていく」、「話して納得させる」等がより母親の気持ちにぴったりするという。

また、約半数の母親が、子どもを叱ることは公共の場面であればみっともないし、公園やスーパーマーケットなどで自分の子どもを頭ごなしに叱っている他の母親を見ると自分はそうしたくないと感じるという。

面接調査を通して、〈他者への配慮・周囲の目が気になる〉については四三人の母親の検討資料が、〈子どもを叱る心理的抵抗〉については六五人（アンケートの自由記述から判断したもの八人を加えた）の検討資料が得られた。検討資料を得られた母親の回答の分布を表5－2に示した。

そこで、〈他者への配慮・周囲の目が気になる〉〈子どもを叱る心理的抵抗〉の二項目によって、母親を二群に分け、母親の子どもの行動への評価と対応についての傾向に差があるかを探ってみた（二群間の平均値のT検定を行った）。

まず、表5－3に示したように、〈他者への配慮・周囲の目が気になる〉と答えた母親の方が、気にならないと答えた母親より、自分の子どもの自己抑制の失敗を〈困る〉とする傾向が高かった。一方、自己主張場面については有意差は見られなかった。つまり、〈他者への配慮・周囲の目が気になる〉母親が、そうでない母親より気にかけているのは、子どもの自己抑制の発達であるといえるだろう。

他者への配慮・ 周囲の目が気になる	ある なし	30人 13人	70% 30%
子どもを叱る心理的抵抗	ある なし	39人 26人	60% 40%

表5－2　二項目に対する母親の回答の分布

母親の子どもの行動への評価	気になる（N＝28）	気にならない（N＝13）	T値
平均値 （SD）	4.214 （.418）	4.539 （.660）	−1.91＊

（注）低得点ほど抑制の失敗を〈困る〉とすることを表す　　＊ p＜.05

表5－3　〈他者への配慮・周囲の目が気になる〉かどうかと〈母親の評価〉（自己抑制場面）　評価については、困る～非常によいをそれぞれ1～4点として四項目を合計したものの平均値を出した。

母親の対応	ある（N＝30）	ない（N＝20）	T値
平均値 （SD）	3.5000 （1.570）	5.1000 （1.774）	−3.35＊＊

＊＊ p＜.01

表5－4　〈子どもを叱る心理的抵抗〉の有無と〈母親の対応〉（自己主張と自己抑制場面）　対応については、よく叱る・時々叱る・時々ほめる・よくほめるを1点、何もしないを0点として六項目を合計したものの平均値を出した。

次に〈子どもを叱る心理的抵抗〉と母親の子どもへの対応について見ると、〈子どもを叱る心理的抵抗〉がある母親の方が、抵抗がない母親より、子どもへの対応としては〈何もしない〉傾向が高い（表5－4参照）。

〈子どもを叱る心理的抵抗〉のある母親が子どもの対人行動のしつけにおいて何もしない傾向がより高いということは、さきに述べた、一方では対人関係にやたら気を使い、もう一方では「人に迷惑をかけない」という日本の伝統的な子育てが揺らいでいる現象を説明する。〈子どもを叱る心理的抵抗〉のある母親は、おそらくは気のこまやかな人づきあいにも気を使う母親であるだろう。ところが、自分の子どもに対してほめる・叱るのしつけのめりはりがなくなると、子どもは何がよいことで何が悪いことなのかがわからなくなってしまう。その結果、しつけが身につかず、自己主張も弱く、また自分が人に迷惑をかけていることにも気がつかない自己抑制のきかない子どもに育つのではないだろうか。

そして、さきにも述べたように対人関係に関わるしつけは子どもに対しては何もしないという形をとりながらも、実は母親自身のなかではさまざまな葛藤を引き起こしている。日本人の母親はことに子どもの自己主張にアンビバレントな感情を持ち、正しい主張であると思ってもそれが子どもの自己の発達の高い評価に必ずしもつながらない。それゆえに子どもの自己主張のしつけは自己抑制をしつけるときにも増して不明瞭になる。これもさきのマツモトらの述べた、胸のなかでは感情が揺れているのにその感情の表出を抑える母親の、自分の子どもに対する一種の自家撞着の状態である。

〈他者への配慮・周囲の目が気になる〉と答えた母親と気にならないと答えた母親との間に自己抑制の側面の評価においてのみ差が出たこと、また、〈子どもを叱る心理的抵抗〉のある母親と〈子どもを叱る心理的抵抗〉のない母親との間でも自己抑制の側面でのみ対応に差が出たということは、〈他者への配慮・周囲の目が気になる〉と答えた母親と気にならないと答えた母親、あるいは〈子どもを叱る心理的抵抗〉のある母親とそうでない母親の間で子どもの自己主張に対する評価や対応に差がなかったと解釈することもできる。

この調査からは、日本人の母親が自己抑制の発達を重要視していること、とりわけ自分の子どもが集団のルールを守れないことをもっとも困ると考えていることが浮かび上がる。そして、子どもの自己主張については、母親の方もどう対応してよいかわからない、子どもに自分の考えを伝えられない姿が明らかになった。

叱れない母親と子どもの自己の発達

現代の日本人の母親はなぜこのように叱ること自体に心理的抵抗があるのだろうか。

さきに、日本人の母親は伝統的に幼児期のしつけが緩やかであり、間接的な叱り方をする親の方が肯定的であること示唆されている[15]。しつけのほめる・叱るの日米比較からも、「黙って見守る」については日本の母親の方が肯定的であること示唆されている[15]。

けれども面接調査を通して浮かび上がったものはもっと脆弱で不安定な母親像である。叱るということばに対してアレルギーともいえる抵抗感があり、そこに見られるものは暖かく見守るというゆったりと子どもを包み込むような態度だけではない。叱りたくない母親のなかには、子どもを叱らずに見守りましょうという主旨の育児書のマニュアル依存の傾向のある母親もいた。そこには「いいお母さん」イコール「叱らないお母さん」という図式が見いだされる。「いいお母さん」像に合わないからだけではなく、叱りたくないもうひとつの理由はさきにも述べたように、叱る行為が甘やかな母子関係を損ねると思われているからであろう。そして、お母さんと幼児だけが関わり合う密室育児の状態では、叱られた子どもが怒ったり泣いたりすること自体が母親の大きなストレスになる。

しかしながら、ほめる・叱るという行為は、親が何に価値をおき、何に価値をおいていないかを子どもに示す行為でもある[16]。親に叱られることによって、子どもは物事の善悪の価値を形成していく。思いをこめて叱る親の目を見て、子どもはこれはしてはいけないことだと理解する。

また、宮本[17]は、子どもの自律の発達について、「自分が一所懸命やったり頭を使ってよく考えた結果いかんで親や他人が喜んだり怒ったりすると認知する子どもは、何かに当面したときに自分の責任において解決の一翼を担おうとする自律的な態度を持つようになる。……さらに、失敗の責任を自分からとる態度というのは、そのあやまちを許し、よりよい方向をともに考えてくれる人がいなければなかなか出来るものではない。その意味において子どものあやまちをいたずらに非難するのではなく、それをゆるし、どうすればよいのかの方向性を示せる親の存在は、子どもに自らの行為に対し責任がとれるような態度を学習させていることになる」(八四ページ)と述べる。

ここで言われているのは、子どもがあやまちをしないように先回りして抑えこむことでも、よくないことをしたのに叱らないようにすることでもなく、むしろ子どもに自分の失敗の責任を自覚させ、よりよい方向を示すことによって自律的な子どもの態度を育むことができるということである。

子どもの社会性の発達の歪みや屈折、学級崩壊やひきこもり、「キレる」現象などの問題が顕在化している今、幼児期から社会における対人関係のルールを教えたり自他調整のあり方を次の世代に伝えるためにしつけの方針をもっと明瞭にする時期にきているのではないだろうか。

第六章　新しい幼児教育の方向性

自己主張と自己抑制と攻撃性

さて、第五章で「他人に迷惑をかけない子どもに育てる」という日本の伝統的なしつけの基本が揺らいでいると述べた。それは地域社会でソト・ウラの「無秩序の状況」が増加しているからであり、また家庭で子どもに社会のルールをしつける機能が低下しているからであると述べた。

しかし、これ以外にももっと重要な要因があると思われる。それは、日本人の伝統的な自己を主張する場面でも自己抑制し、自己を抑制する場面でも自己抑制するという「抑制―抑制型」の対人行動のパターンの限界にあるのではないだろうか。

日本人は伝統的に我慢を美徳としてきた。相互依存的な自己意識に基づき、協調性を重んじ、連帯感を育んできた。けれども、対人関係において言いたいことも言わず、自分に不利なことがあっても自分さえ我慢すれば済むという対人行動のあり方そのものが現代の日本人のライフスタイルにそぐわなくなってきているのではないだろうか。抑圧が続いた結果、攻撃的な態度にでる「キレる」現象に結びついているのではないかと考えられる。

ここで、自己主張と自己抑制そして攻撃性について考えてみよう。対人関係において我慢をしすぎると、逆に激しい攻撃性を喚起させることがある。たとえば、磯貝らは次のように述べる(1)。

「言いたいことも言わずに我慢を続けて、しかしついに耐えられなくなって、我慢を爆発させてしまう人がいる。するとそれは、抑えていたものをいっぺんに吐き出すような激しい感情の流出と攻撃的な言動となって、相手を驚かせ、人間関係を大きく転換させ、時には突然の破綻を招く。あの控えめな人が腹の底ではこんな厳しい目で見ていたのかと、驚きと警戒と反発を招く」（一六五ページ）

このように対人関係において、常に自己抑制的にふるまうことは決して望ましいものではない。

また、自己表現について平木[2]は、①不十分な自己表現（非主張的な自己表現）、②過剰な自己表現（攻撃的な自己表現）、③適切な自己表現（アサーティブな自己表現・アサーション）の三つのタイプを提示している。平木もまた、非主張的な自己表現の特徴として欲求不満がたまった結果、自分より弱い立場の人に対して、怒りを爆発させる形で、八つ当たりしたり、意地悪することにつながると言う。そして対人関係のもっとも有効なコミュニケーション方法は相互理解と自己成長を促す「アサーション」であるとしている。実は、この「アサーション」こそが今まで論じてきた自己主張である。

私は女子の大学生の自己主張について調査[3]したことに第一章で触れたが、その調査結果から女子学生は自己主張をした場合にその後人間関係が悪くなるのではと懸念していることが明らかになった。その神経質なほど自己主張に懐疑的である傾向から、普段は自己抑制的であるが、抑制からくるフラストレーションがある一定レベルの許容度を越えたときは攻撃性に転ずることもありうるのではないかと思われた。抑制的な自己表現から自己主張という段階を経ずに、いきなり攻撃的な自己表現があらわれることも考えられる。

自己主張と攻撃性との関わりについては、第一章で述べたように、帰国子女は一般学生に比べて自己主張する傾向にあるのだが、攻撃性は帰国子女の方が一般学生より低いというデータがある。[4] 異文化体験を持つ帰国群と異文化体験のない一般群の大学生の比較研究から、帰国群の攻撃性は総合カテゴリーと攻撃性の下位カテゴリーの、三つのうち、二つの尺度(敵対的態度・受動的攻撃性)において一般群より低かったのである。

日本人はなぜこれほどまでに自己主張をタブー視してきたのか。それは自己主張は相手の立場や事情も考えず、表現の仕方も工夫せずに言いたい放題言うことだとステレオタイプのイメージを抱いて思い込んできたからである。

ところが、実は自己主張は相手の立場も尊重し、表現を工夫してこそ効果的である。私自身の経験からもアメリカやイギリスの大学院では、たとえば先生に対しては、「先生のレクチャーにはとても強い印象を受けました。ただ、さきほどの説明のなかで少しわかりにくいところがあったのですが」と質問する。またディスカッションで自己主張をする際の学生同士の発言でも「今のジョンの意見はとてもいいと思います。ただ付け加えるところがあるとすれば……」「あなたの今の意見は……という意味だと解釈してもいいですか」といったやわらかい表現でディスカッションに切り込んでいく。論理の明晰な展開に基づいて、ユーモアをまじえ、ときには軽くほほえみすら浮かべて自分の意見を述べる。他者にも配慮しながら自分の立場や、観点、主張の輪郭を明確にする。そうしておいて、新しい視点を展開したり、論議の方向性を変えるような逆説的な意見も述べる。大切なのは自分の意見の根拠になる客観的な理由の提示である。これが本来の自己主張であるといえるだろう。

以上のことを考え合わせると、行き過ぎた自己抑制は決して望ましいものではなく、自己主張は本来個人の精神衛生上、また円滑な人間関係を構築するうえでも好ましい要素であると考えられる。私は、妥当な自己主張ができてこそ、また抑制も意味のあるものになると考える。決して自己抑制が無意味なものであるといっているのではないが、自己抑制ばかりに偏ることに現代の日本人の対人関係をかえってぎくしゃくさせ、適切な対人行動をさまたげる原因があるのではないかと思う。

行き過ぎた自己抑制

イギリス人は自己抑制を尊ぶが、行き過ぎた自己抑制に対しては懐疑的である。第三章で述べたように、アイザックスは親や教育者に子どもに従順をどこまで要求する権利があるのかはまったくその目的如何であるとし、従順そのものはしつけの目的とはなりえないとしている。

この従順についてクラウスとバス[5]が日本とイギリスを含む一三ヵ国の文化比較を、管理職に就いている男性被験者を対象に、自己の判断に集団への同調性が及ぼす影響を測る方法で行っている。図6-1を参照してほしい。分析の結果、従順(Conformity)、個人主義的傾向(Individualism)、非同調的傾向(Anti-conformity)の三つの型を提示している。詳しい実験手続きについてはここでは触れないが、従順は、自分自身の判断が集団の判断と同一方向にシフトする群、個人主義的傾向は集団の判断を提示されても自分自身の判断がまったく変化しない群、非同調的傾向は自分自身の判断が集団の判断と異なる方向にシフトする群である。すべての被験者のうち、従順の型に入る群が四八・九%、個人主義的傾向の型に入る群が三七・七%、非同調的傾向の型に入る群が一三・一%である。この調査結果を見ると、イギリスが一三ヵ国中もっとも従順のスコアが低く、個人主義的傾向はもっとも高い。日本は従順は一三ヵ国中、中間の位置にあるが、個人主義的傾向は低い。従順と個人主義については日本はほぼイギリスと反対の位置にあるといえるだろう。

話が少しそれるが、ここで気になるのは日本の傾向である。非同調的傾向がもっとも高い

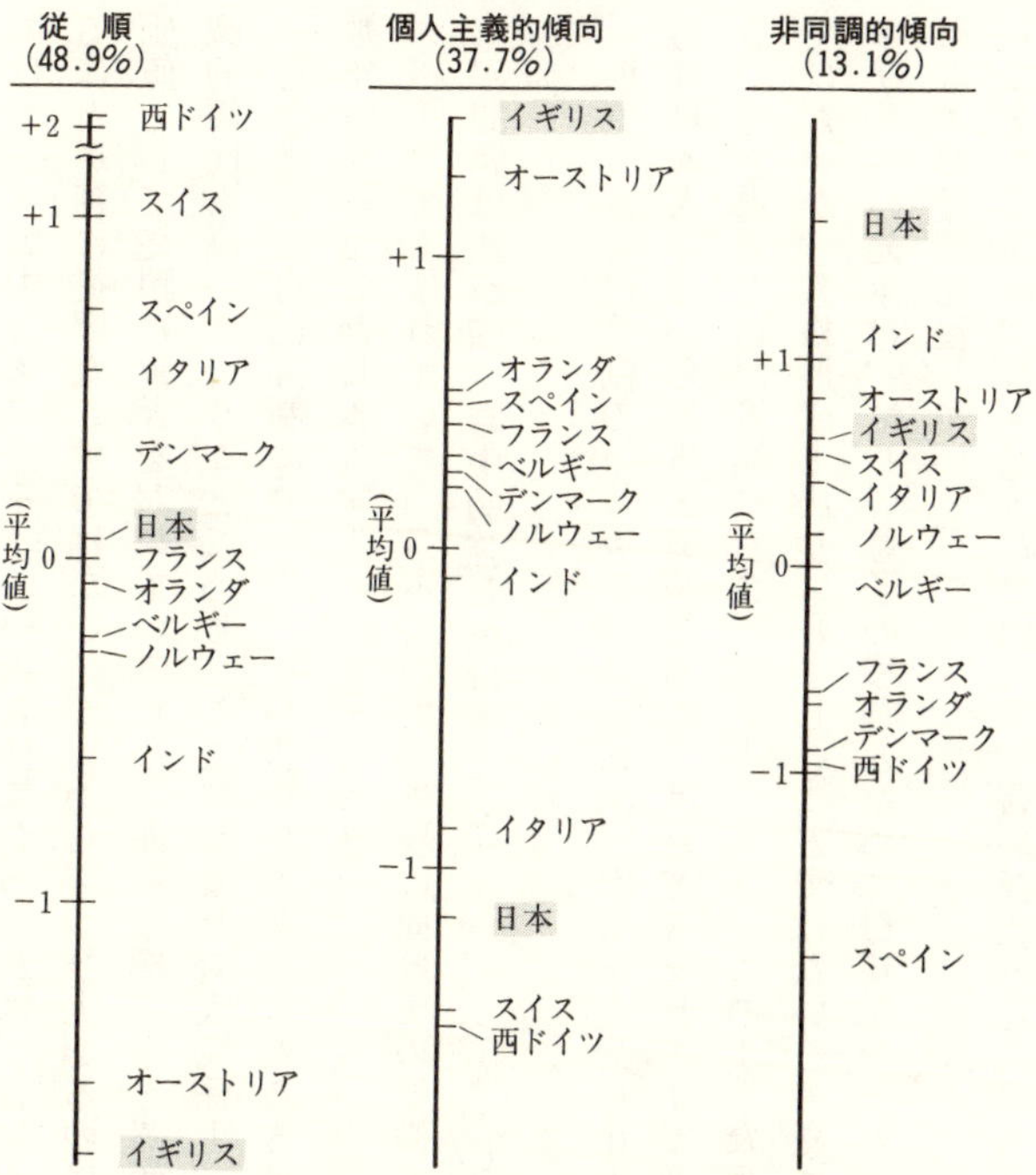

図6－1　三つの反応カテゴリーにおける各国のスコアの平均値からのずれによる相対的ランキング（Klauss and Bass、1974、文献(5)を改変）

のは一三ヵ国中日本である。この調査結果からすれば、日本人はこれまで一般に思われているほど単純に従順なわけではない。ここから浮かび上がるのは、日本人は日本の社会が文化価値として従順に重きをおいているために従順な態度をとる傾向にあるが、その一方で非同調的傾向も高いということである。ここにもまた対人関係上、日本人の抱える矛盾点がある。

行き過ぎた自己抑制について、私が訪れたイギリスのあるパブリックスクールの先生は、数年前に在籍した日本人学生についてこう語った。「とても優秀な学生でした。勉強面でもスポーツでも優れていて、日本での大学受験に向けての準備も怠りないようでした。けれども、問題は彼が四六時中勉強し続けることです。いったいいつ休むのか想像もつかなかった」。

〈根気〉は自己抑制の下位カテゴリーにあったことを思い出してほしい。このたゆまざる努力は日本人の目から見ると美徳である。けれどもそれがイギリス人の先生の目には奇異に映る。行き過ぎた自己抑制に対する疑問視である。このような生活の反動がどこかで起きるのではないか、人格形成上決して好ましいことではないと考えていることが伝わってきた。イギリス人の先生は、忙しい息子の移動のために母親がほとんど運転手のように付き添うことにもまた疑問を呈していた。

以上のように、行き過ぎた自己抑制、言い換えると「抑制―抑制型」の対人行動のあり方がむしろ攻撃性を喚起する可能性があり、バランスのとれたパーソナリティを形成するうえでも望ましくないとすれば、新しい対人行動のあり方へと転換する方向性を探る必要がある。そのひとつの足掛かりとして自己主張のアメリカモデルとイギリスモデルを比較してみよう。

自己主張——アメリカモデルとイギリスモデル

自己主張、個性や創造性の育成というと、つまり日本をアメリカナイズすることですねという反応を示す人がいる。さきに述べたように、日本における自己主張への拒否反応は、抑制のきかない子ども、我慢ができない子どもになってしまうのではという懸念が先にたっている。自己主張を育むことによって、日本の伝統的な自己抑制の文化価値を根こそぎ失ってしまうように思ってしまう。

自己主張といっても、アメリカとイギリスではそのコンセプトが異なる。

以前にイギリス人の先生とアメリカでの滞在が長かった日本人の先生と三人で話をしていたときにそれぞれの文化での会議のあり方が話題になった。自分が通したい議事があるときに、日本では「根回し」といって事前に会議への出席者に同意を得ておいて、会議自体は形式的なものであることが多く、一方アメリカでは事前の協議は白紙状態で会議そのものの進行によって議事の賛否が採択されることが多い。イギリスではどうですかとたずねると、イギリス人の先生は、会議の議長とトラブルメーカー（ごたごた悶着を起こす人）に前もって含んでおいてもらうことが多いと答えた。イギリス人は日本とアメリカの中間的な方略をとるといえるだろう。日本人と比べるとイギリス人は自己主張が強いが、アメリカ人と比べるとイギリス人には他者との直接対決を避けたい傾向がある。

個人主義についても、アメリカとイギリスではそのコンセプトが異なる。日本とイギリスとアメリカの育児雑誌の掲載記事の内容を比較した柿沼[6]は、日本の母親は他のお母さんがどんなふうに育児をしているかにもっとも興味があり、アメリカのお母さんは他のお母さんがどんなふうに子育てしているかより、子育ての専門家、心理学者や教育カウンセラーのアドバイスにもっとも興味があった。イギリス人のお母さんはちょうどアメリカとイギリスの中間で、日本人ほどでないにしろ、他のお母さんがどう子育てしているかに興味を示し、自分の子育ての参考にすることを見いだしている。つまり、同じ個人主義であるといっても、イギリス人の方がアメリカ人より社会の一員となる子どもの教育をするうえで、他者の考え方、他者がどんなふうにしているかが気になるということであろう。

「アメリカの個人主義の究極にあるものは、社会構造そのものの否定なのではないか」と『日本の高校』の著者であるアメリカ人の文化人類学者ローレンは述べる[7]。一方イギリスの文化人類学者ジェームスは「偉大なる個人主義者はすなわち偉大なる社会的ルールへの順応者だ」と述べる。(8) そして、子どもが学校生活において、社会的ルールへの従順と自分の個性の発揮、クラスメートとの間で平等と競争の両方の経験をすることが望ましいアイデンティティの発達と結びついていると論ずる。

アメリカンドリームということばがある。丸太小屋に生まれたリンカーンがのちにアメリカ合衆国の大統領になったように、己れの才覚と努力で社会的に成功する飛躍の度合いは日本、イギリス、アメリカの三つの国のうちでアメリカがいちばん大きいといえるだろう。

かつてアメリカで大学院の卒業式が近づいたある日、シンガポールやマレーシアなどアジア出身の同級生たちと食事をする機会があった。マレーシアから来ているチューアイが「結局私たちってアメリカに残らないのよね」と言いだした。母国に帰るべきのっぴきならない理由をだれもが持っていた。ひとりが「でも本当にここに残りたかったらそれでも私たちはアメリカに残るはずよ」と言った。そして、ビジネススクール（経営大学院）を卒業する学生には「どうしてアメリカに残らないの、ここに居るとあなたすごいお金持ちになれるわよ。アメリカでは経済的に成功したときのスケールが母国に帰るよりずっと大きいでしょう」とちょっとからんだりした。「つまりここは安住の土地ではないわ、何かを取得しにきて母国に持って帰るところ、そうじゃないかしら」。

だれもが押し黙った。このアメリカの大学院で過ごした二年間は刺激的で得るものも多かった。アメリカ文化には適応し、学位も取得できたが、テンションが高く自己主張を続けることには、心情的に同化できない部分も抑制的に育てられてきている私たちアジアの学生にはたしかにあった。

第二章で「自己を主張すべき場面でも抑制すべき場面でも自己を主張するアメリカ」、「自己を主張すべき場面では主張し抑制すべき場面では抑制するイギリス」、「自己を主張すべき場面でも抑制すべき場面でも抑制する日本」という単純化された図式を述べた。

私は、子どもの自己主張を育むうえで、アメリカモデルよりイギリスモデルの方が日本人にとってはより現実的でとっつきやすいのではないかと思う。単に自己主張の強い人に育てようとするのではなく、自己主張もできるが自己抑制もできるバランス感覚のある人に育てようとするほうが、日本人の気持ちには合っているのではないだろうか。

自己主張を行う際に大切なのは場面の認知である。まず、ここで自分が自己主張することが道理にかなったことかどうかを考える。そしてそれが本当に道理にかなったことで自分にとって譲れないことであると思えば自己主張する。そしてその主張が相手や仲間から受け入れられるためには、ふだん自己を抑制すべき場面で我慢していることが大切である。

イギリス人は、この自己主張も強いが自己抑制もできるというバランス感覚に優れている。

自己主張の際にそれが本当に道理にかなったことか時間をかけてよく吟味する。そしていったんそれが道理にかなったことであると思えば、毅然として自己主張するし、逆に必要のない場面では自己を抑制する。

なぜ自己主張の強いイギリス人は自己を抑制すべき場面では自己を抑制するのか。それはやはり日本と同じように島国のイギリスでは、人々が移動の少ない固定的で継続的な人間関係を持っているからである。ただし日本と根本的に異なるのは、イギリス人が自己を他者との関係性のなかに埋没させてしまうことはないことにある。

個性と社会性

対人関係における自己主張と自己抑制、この二つの特質をひとりの子どもが両方育んでいくことが望ましい社会性の発達につながると第一章では述べた。人の発達を二元的なものさしで見ることが有効だと書いた。

それはなぜ可能であるのか。自己を生きる個性と他者との調和を保つ社会性とがひとりの人間のなかで育まれることが可能だからである。

子どものアイデンティティの発達とは、自己と他者の両方に対してうまく折り合いをつけること、快適な状態でいられるようになることだと前出のイギリスの文化人類学者ジェームスは述べている。これこそが個性化と社会化のプロセスであるといえるだろう。そして社会化と個性化のプロセスとはあざなえる縄のごとく、ひとりの人間のなかで進行し、社会化と個性化の二つがバランスを持って統合されたとき、社会とのつながりに価値を見いだし、かつ社会に埋没してしまわない生き生きとした個性を備えた二元的な自己形成が可能となると柏木も述べている。(9)

日本人は集団主義だと言われてきた。子どもの個性を育むことより、周囲の人と同じように考えたり行動したりする日本独特の社会性の発達に過剰に重きをおいてきた。けれども戦後、欧米の文化の強い影響にさらされるようになってもはや半世紀が過ぎた。そしていま、自分の属する集団との等質性・連帯性にのみ自己の存在理由を見いだす時代は終焉を迎えようとしている。集団との調和を保ちながら、自己表現をすることが可能な新しい対人行動のあり方を私たちは必要としている。そのためには、第一章で述べた「抑制—抑制型」の日本モデルを脱却し新しい対人行動のあり方を構築するうえで、「主張—主張型」のアメリカモデルではなく、「主張—抑制型」のイギリスモデルが参考になるのではないだろうかと考える。

それでは幼児の自己主張を育てるにはどうしたらいいだろうか。ひとつには子どもの言っていることが単なるわがままやぐずりなのか、それとも何か子どもなりに理由や言い分があることなのかを判断する必要がある。イギリスでのエピソードをいくつか紹介しよう。第三章のイギリスのホテルに滞在したT夫人が二年後に経験した出来事である。

エミリー・ブロンテの小説で有名な「嵐が丘」を訪ねるため、T夫妻はイギリス北部にあるヨークから当時五歳の息子とタクシーに乗った。ヨークから「嵐が丘」は電車の便が悪く、滞在していた小さなホテルのフロントに相談したところ、ホテルが紹介してくれた運転手は感じの良い初老の男性で、妥当な料金で数時間の観光案内を引き受けてくれた。ヨークまで行ったら足をのばして嵐が丘を見たいという念願がかなって、T夫人はわくわくしていた。子どもは行きの車中は、わりとおとなしくしていた。が、「嵐が丘」に着いてブロンテの生家である牧師館を見学し、肌寒い荒涼とした丘を少し歩いたあと、再び車に乗ったところで、案の定ぐずりだした。窓から手を出したり、車の装置をいたずらしようとする。ミニカーやお菓子でなだめようとしても気を紛らわせることができない。

イギリスは公共の場での幼児のしつけに厳しいお国柄で、T夫人は「この子はわがままで」と運転手に向かって言い訳をしだした。すると彼は

He is tolerating adults very well.（坊やの方があなたがた大人のことをうんと我慢しているんだよ）

と静かに言った。そう言われてみて初めて子どもの立場になってみると、大人の興味につきあって長時間車に乗せられただけの何ともつまらない半日だったことに気がついた。そういえば、坊やは牧師館のなかでも「静かにして」、「ものに触らないで」、「走らないで」と母親に言われ続けていたのだった。イギリス人特有の物事の本質をつく透徹した見方だ。

帰路にパブに立ち寄った。イギリスのパブは、地方の小さな村ではただお酒を飲むところというよりも家族で温かい食事ができる村の集会所のような意味合いを持つ場所でもある。坊やはオレンジジュースを飲み、パブの庭の隅にしつらえてあるすべり台やブランコで、自由に体を動かせることがいかにもうれしいというように遊んでいる。

文字通りほろ苦いビターというビールを飲みながら、わがままなのは息子ではなく、自分の都合で幼児を振り回している母親の方だと言われているのだとようやく悟ったと夫人は語った。

ここにあるように、親の都合で子どもを振り回したあげくに子どものわがままやぐずりを叱るのは子どもに対してフェアではないと考えられている。万一、静かなレストランや美術館等で子どもが騒いだりすると、周囲の非難の目は泣いたり騒いだりしている子どもではなく、こんなおとなしくしなければならない場所にいたずらざかりの小さな子どもを連れてきている非常識な親の方に向けられている。けれども同じ子どものわがままでも人のものをいきなりとったり、人を傷つけたりすることに対してイギリス人の親や先生は寛容ではない。

T夫人はイギリスに着いてやや生活が落ち着いた頃、プレイグループ（有志団体や母親たちによって運営され、週一、二回幼い子どもたちを保健所の一室などを借りて遊ばせる）という子どもの集まりに三歳の坊やを連れていった。坊やは隣の赤ちゃんが持っている車に興味を持った。そーっと手を伸ばすと赤ちゃんは簡単に車を放した。T夫人があっと思った瞬間、その赤ちゃんのお母さんに叱られたのである。「小さい赤ちゃんの持っているものを取り上げるなんて」と。日本ならば、赤ちゃんのお母さんは、「赤ちゃんはまだわからないからいいわよ」とお愛想笑いをするところであろう。イギリス人は社会的なルールを守らない子どもはたとえ人の子どもであっても叱る。

また、坊やが四歳半になってイギリスの幼児学校に通いはじめると、ある日、頬に涙のあとがあるのを見つけた。誰かとけんかをしたなと思ったがあまり気にも留めずにいた。ただふだんは頑固ですぐ泣き出すよりはぐっと我慢する子どもである。ところが次の日にも、気をつけて見ると頬に汚れた涙のあとがある。「学校で何かあったの?」とT夫人は子どもにたずねた。すると、トムがぶったり蹴ったりするという。ちょうど折よく入学後の担任の先生との個人面談が控えていたので、T夫人は思い切って事情を話した。すると担任の若い女性の先生は「おっしゃってくださってありがとう。私も気をつけて見てみます」と言ってくださった。

翌日T夫人がお迎えにいくと、先生が手招きして、「今日気をつけて見ていたら、トムはたしかにおたくのお子さんに意地悪をしたりぶったりしていました。トムにはよく言い聞かせましたからもう大丈夫だと思います。また何かあったらどうぞいつでもおっしゃってくださいね」と言われた。その後トムが意地悪をすることはまったくなくなったという。イギリスの先生は二人の子どもの間のトラブルに介入する際に、被害を訴えた子どもの側の話を否定するのでも鵜呑みにするのでもなく、まず客観的に自分の目でそういう事実があるのかどうかを確認する。そしていったん判断を決めたら、非のある方の子どもに行いを改めるよう厳しく説く。

このように、イギリスでは子どもにただやみくもに従順を求めるのではなく、どの場面で子どもの自己抑制を促し、どの場面で自己主張を育むか、その受容と規制を親や教師がきちんと判断していることがうかがえる。そして、どの場面で子どもに自己抑制を求め、どの場面で子どもの自己主張を許すのかを判断するためには、しつけの方針の基本的なスタンスを大人がきちんと定めていることが不可欠である。

第四章に述べたように、八〇年代に日本の保育園や幼稚園を観察した外国人研究者は、日本の就学前教育機関では、子ども同士のいざこざやけんかへの直接介入をしない傾向にあると指摘している。それは、少子化で兄弟げんかの経験も少なくなった幼児にとって自分たちでトラブルを解決する力を育むことや、一つの集団内の子ども同士のダイナミックな人間関係の動きに、保育者たちが人為的に介入することを避けようとする、日本の伝統的な自然体の教育理念に基づいたものでもあっただろう。ある年輩の幼稚園の園長先生は、園で起きた自分の子どものけんかについて詳しく聞きたがる若いお母さんに対しては、「子どもはけんかから学ぶことが多いものですよ。お母さんももっとたくましくならないとダメよ」と背中をぽんとたたいてきたと述べている。

ところが近年、日本の幼稚園や保育園でも子ども同士の解決に任せるといった方法では対応できなくなってきている。園側は子どもの年齢やトラブルの度合いによっても対応を変えているが、それぞれの子どもの言い分を聞き、場合によってはけんかを見ていた周囲の子どもの言い分も聞き取り、他によりよいやり方はなかったのか子どもの反省を促すようにしているという。子どもたちを集めていざこざやけんかが起きたときどうすればよいか話し合う機会を持ったり、園だよりや保護者会を通じて子どもどうしのいざこざについての園の対応を説明したり、いつでも止めに入れる状態で先生が見守っていることや、けんかも社会性の発達に大切な経験であることを伝えている園もある。

これまで日本の就学前教育機関では、たとえばAちゃんがBちゃんをけんかのあげくにひっかいたというような場合、ひっかかれたBちゃんの保護者には傷を作ったことについて状況を説明し、Aちゃんが悪いのではなく、園側の責任として謝ってきた。一方、ひっかいた方のAちゃんについては、本人にはことばを選んで注意するが、保護者には特に報告することはしなかった。伝えたために保護者によっては感情的になってその場で自分の子どもをたたいたり、家に帰ってから体罰を与える可能性もあるとの懸念もあった。また、厳しく注意することによってAちゃんの「いい子アイデンティティ」(第三章参照) に傷がつく、悪い自己イメージを形成することもおそれたであろう。

けれども近年、この従来のやり方では、Bちゃんの保護者が「翌朝、Aちゃんのお母さんとすれ違ったのにひとこととの謝辞もない」とかえって保護者同士の気持ちの行き違いや対立につながることが目立って多くなってきているという。そこで、園の対応としてAちゃんの保護者にお友だちをひっかいたことを伝えるようにしているところも増えているが、その場合でも、Aちゃんの保護者には「今日、こういうことがありました」と事実は伝えるが、

「こんなことをしてAちゃんは困る」という評価を保育者が述べないように心がけているところが多い。また、幼稚園の先生や保育所の保育士は、子どもが誰かをたたいたり、ひっかいたりしたことを保護者に伝えるときには、個々のお母さんの性格をよく見て、ケースバイケースの対応をするという。神経質なお母さんには遠回しに伝えたり、ユーモアのわかるお母さんには「このごろ○○ちゃんちょっと荒れてるね」と冗談めかして伝える。また子どもに八つ当たりしそうなお母さんには、お母さんの目の前でなく園で起きたことについては、家に帰ってまで怒らないように言い添えたりするという。

このように日本の就学前機関でも、保育者が子ども同士のいざこざやけんかにどう対応するか検討してきており、地域や、各園の教育方針、子どもの年齢やいざこざの程度によってヴァリエーションは見られるが、どちらかといえば直接介入に向かう傾向にあるようである。

みんなとひとり

また、イギリスでは普段の生活が質素であるのに比べて、子どものバースデーパーティは華やかである。その際に、親たちはバースデーの主役には招いた子どもたち一人一人にパーティに来てくれたことへのお礼を述べさせ、招かれた方の子どもにも招かれたお礼を戸口できちんと言わせる。子どもがちゃんと言えるまで親たちは子どもの口元を真剣に見つめる。

「ありがとう」や「ごめんなさい」がきちんと言えることが重要視され、子どものソーシャルスキルを育もうとする。これは自己主張の第一歩である。「言おうと思ったけど言えなかった」という子どもから「ちょっと恥ずかしかったけれど頑張って言えた」という子どもへの移行を促していくのが親の役目である。ここを通って、子どもはやがて「恥ずかしがらずにきちんとあいさつのできる」子どもになっていく。自分の子どもをパーティに送り出すとき、親は子どもの耳元でこうささやく。

Enjoy it.（たのしんでおいで）

このように、子どもが友だちや仲間と一緒に仲良く楽しく時間を過ごすことも奨励するが、同時に子どもが自分ひとりでいることを楽しむことに価値を認めているのもイギリス人である。幼児学校の園庭で子どもたちの輪からひとりはずれて生き生きと遊んでいる子どもをイギリス人の先生はこう紹介する。

He is a self-contented happy boy. He enjoys himself.（彼は自分に満足していて機嫌のよい子どもです。彼はひとりでいることを楽しんでいる）

日本人はひとりでいることと仲間外れになっていることを同じレベルで捉えがちであり、ひとり遊びの好きな子どもを問題児だと捉える傾向にある。いつも一緒にいる固定的な数人の友だちのいる子が親や教師から見て安心な子どもとされる。けれども親しい友だち以外のクラスメートや初めて出会った子どもたちにもある程度の配慮ができるような社会性を育むためには、子どもの仲間関係が大人のウチ・ソトの区分を反映したように固定的であるよりはむしろややや流動的であるくらいが望ましいのではないだろうか。

さきに述べた子どもの社会性と個性を両方育むには、人ときちんと関わることと、自分ひとりの時間も充実していることが前提となる。子どもが自己と他者の両方にうまく折り合いをつけてアイデンティティを形成することをバックアップするのが大人の役割である。そのためには大人が、一方では子どもがひとりで生き生きしていることを尊重し、もう一方ではひっこみ思案な子どもや気のやさしい子どもがみんなと関わろうとする場面で何かトラブルがあっても大丈夫と思える社会的な環境づくりをしなければならない。

幼児の自己主張のメカニズム

現在、他の研究者と共同で、都内の幼稚園において、幼児の自己主張と自己抑制のメカニズムについてより詳細な研究を行っている。第四章の日英比較研究で用いた図版テスト八場面のうち次の四場面を使用した。自己主張場面では〈遊びへの参加〉と〈砂場〉、自己抑制場面では〈ブランコB〉と〈花瓶〉である。子どもたちの発達を年少時から年長時の三年間にわたっておいかける縦断的研究であるが、そのデータの分析結果(10)からいくつか紹介する。

幼児の自己主張と抑制の発達の様相をよりよく理解していただくために、ここで例として実験中のテスターとひとりの女児とのやりとりを記録したプロトコールを紹介しよう。

〈自己主張場面〉（遊びへの参加―幼稚園で他の子どもたちがとてもおもしろそうな遊びをしていて入れてもらいたいなあと思っている場面）

①《四歳三ヵ月時》

実験者―入れてって自分から言う？　それとも誘われるのを待ってる？

幼児―仲間に入れてって

実験者―そう言ったら入れてくれるかな？

幼児―わかんない

②《四歳九ヵ月時》

実験者―入れてって自分から言う？　それとも誘われるのを待ってる？

幼児―仲間に入れてって

実験者―そう言ったら入れてくれるかな？

幼児―いいよーって言う、だって○○ちゃん（自分のこと）やさしいから一回目のテストでは自分の仲間入りへの受容に対しての予想は不明であるが、半年後の二回目のテストは園での仲間遊びの経験から、自分が遊びに入れてもらえるという確信が持てるようになり、その理由として仲間から受容される自分のやさしい性格に言及している。

〈自己抑制場面〉（遅延可能―すでに二～三人並んでいるブランコの順番を待つ場面）

①《四歳三ヵ月時》

実験者―○○ちゃんはどうかな？　かならず順番を待つ？　たまに待てなくなってしまうことある？

幼児―ない。……ときどきある。

実験者―○○ちゃんがずるして先に入ったらこの先に待ってた子たちどう思うかな？

幼児―悲しい気持ち

②《四歳九ヵ月時》

実験者―○○ちゃんはどうかな？　かならず順番を待つ？　たまに待てなくなってしまうことある？

幼児―うん、ずるしたことはない。

実験者―どうしてずるはしないの？

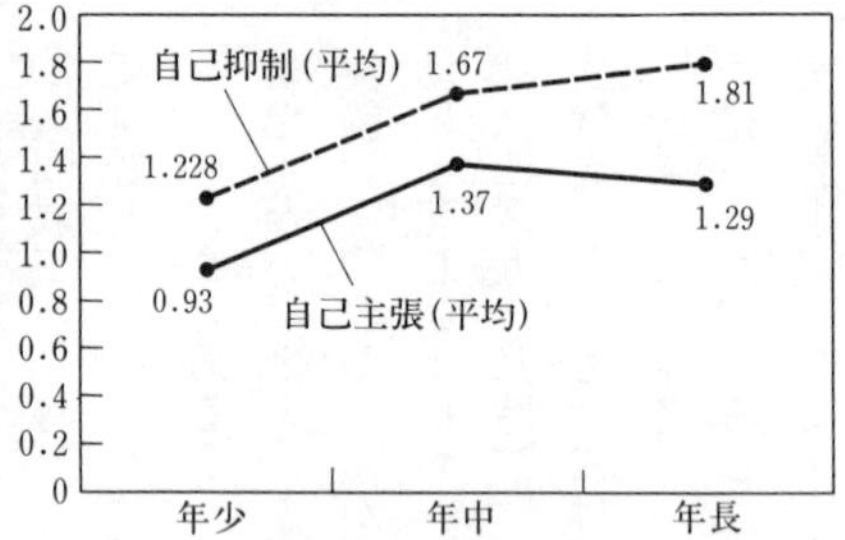

図6－2　自己主張と自己抑制の年齢的消長

幼児―みんながいやな気持ちになっちゃうから

ここでは最初は自己を抑制できるかどうか定かではなかったのが、半年後の二回目のテストでは自分は我慢できると自覚し、その理由は他者の感情の理解である。このように、図版テストのプロトコールを通して自己主張や自己抑制が年齢の上昇とともに発達していく様子や、理由づけがひとりの子どものなかでも場面によって多様であること、そしてその理由も変化していくことが推測される。

それでは、子どもの自己主張のメカニズムを探ってみよう。まず、幼児の自己主張と自己抑制の発達の比較を図6－2に表した。第四章の図版テストと同じように、このテストを開発した研究者たちの主張・抑制の想定と一致した場合を正答として得点1と評定し、不一致の場合は得点0とした。自己主張と自己抑制それぞれ二場面の得点を合計したものの平均点を年少群・年中群・年長群にわけて表した。自己抑制の発達の方が、自己主張の発達よりも著しいことがわかる。この結果は十数年前に行われた先行研究の柏木の調査結果とも一致する。そしてこれは、前章で見た

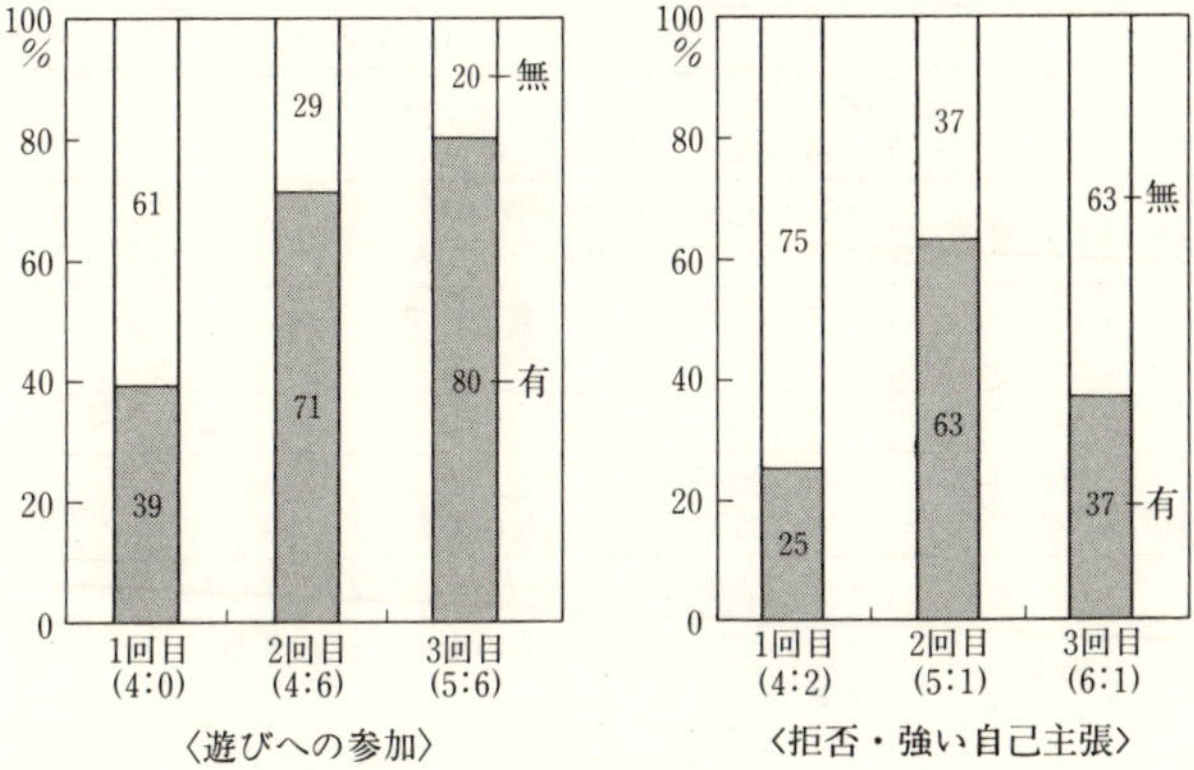

図6－3　予想と自己主張の一貫性（4：0）は4歳0ヶ月をあらわす

日本人の母親の幼児の対人関係における自己主張と自己抑制のしつけとも呼応している。

さらに、今回の調査では、自己主張の図版テストの〈遊びへの参加〉と、いやなことはいやと言えるかどうかを見る〈拒否・強い自己主張〉の場面について、幼児に自己主張した場合自分の主張が通ると思うか思わないかの予想をたずねた。そして、「自分の主張が通ると予想し自己主張する」あるいは「自分の主張は通らないと予想し自己主張しない」という自分の予想と自己主張に一貫性のある群と、そうでない群の割合の年齢による変化を図6－3に示した。

図に示されているように、〈遊びへの参加〉の場面では自分の予想と自己主張を一致させることのできる群の割合が年齢が上がるにつれて増加する傾向にあることがわかる。ところが、

	内　容	プロトコール例
自己	自発性	・入れてって言ったから ・壊さないでって言えばいい
	自己感情	・（自分が）遊びたいから ・入れてくれなかったらぷんぷん怒る
	代替	・ダメだったら他の遊びをする ・また作ればいい
	回避	・けんかはしない。けんかしてもしょうがないから
	自己性格・役割	・（自分が）優しいから ・ぼくは泣き虫じゃないから
	自己防衛	・そのままにしておく方がぶたれたりしないから
	所有	・だってさあ、こっちのもんだからさあ ・自分の花瓶だから
	ソーシャルスキル	・「やめてよ」じゃなくて「返してください」って言ったら返してくれる
	自己イメージ	・だって私おりこうだもん ・だって妹いるもん。割り込みしたらぼくの妹も真似するよ
他者	友だち関係	・みんなと仲間になると入れてくれる ・みんなが私のこと大好きだから
	権威	・お母さんが言ってたから ・先生に言ってもらう
	状況判断	・だってね、あと一人いないとダメじゃん ・こっち足りないから入れてくれる
	他者感情	・みんながずるしたらやな気持ちになるから ・（相手の子は）ちょっと悪かったかなという気持ち
	他者性格	・他の友だちが優しいから ・だってこの子（取った子）意地悪そうな顔してないんだもん
	ルール	・１２３４で順番に並んでると次にできるから ・この人花瓶壊しちゃいけないから
	信頼感	・やめてって言われたとき、やめてって言うのをわかってくれるから

表６－１　自己主張と自己抑制の自己依拠的理由と他者依拠的理由

〈拒否・強い自己主張〉の場面では、年長時に、自分の予想と自己主張を一致させることができると反応する群が三七％にまで落ち込む。つまり同じ自己主張場面であっても、〈遊びへの参加〉の集団場面では、他児との関わりにおいて相手の受容を予想し自己主張できる自信がついてくる。これとは対照的に〈拒否・強い自己主張〉の一対一の関わりの場面では、人の使っているものを取り上げるような子どもに対し自分が主張してもそう自分の思い通りに動いてくれるわけではないだろうという対人認知が発達してくるのではないだろうか。〈拒否・強い自己主張〉の場面の幼児の反応のプロトコールからは、第四章の日英比較研究で日本人幼児に見いだされたと同じように、「〇〇ちゃんだったら返してくれない、〇〇ちゃんだったら返してくれる」、「幼稚園の子だったら意地悪じゃない」、「わかる子もいるしわからない子もいる」、「だってこれ男の子だから」など、相手の子どもの属性や性格によって自分の主張の効果も異なるという対人認知が見いだされる。ということは、日本人幼児にとっては自己主張をする場合こそ、他者をよ

	出現率	N	SD	T検定
両高群	.1811	10	.1695	.456
両低群	.1521	12	.1282	

自己制御タイプの群間の自己依拠的理由の提示出現率のT検定

	出現率	N	SD	T値
両高群	.4659	10	.1751	3.547**
両低群	.2342	12	.1200	

** p <.01

自己制御タイプの群間の他者依拠的理由の提示出現率のT検定

表6－2　二つのタイプと自己主張の理由の関わり

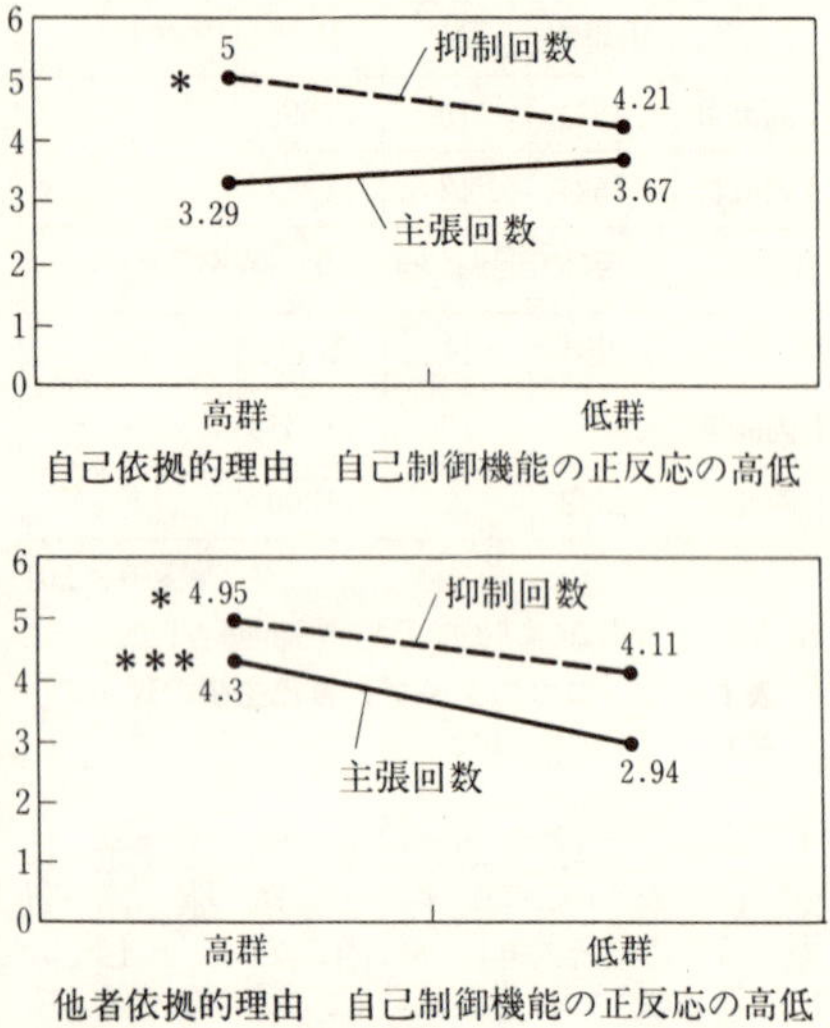

図6－4　自己制御（自己主張と抑制）**と理由の関わり**

く観察することが重要だということである。

今回の研究では、子どもに「なぜそうするのかな？」と自己主張や自己抑制の理由をたずね、そのプロトコールを「自己」に着目する自己依拠的なものか、「他者」に着目する他者依拠的なものかに分類した。表6－1を参照してほしい。こうして分類することによって、幼児がただやみくもに自己を主張したり抑制したりしているのではなく、自己感情や自己の性格などまず自分に着目して自己を制御する場合と、友だち関係や状況判断など他者の動向にまず着目して自己を制御する場合があることが見えてくる。

ここで、幼児の自己主張や自己抑制の発達のバランスから、被験者を自己主張も自己抑制も高い〈両高群〉、自己主張は低いが自己抑制は高い〈抑制群〉、自己主張は高いが自己抑制は低い〈主張群〉、両方の側面の発達が低い〈両低群〉の四タイプに分けた。その四タイプと自己依拠的理由・他者依拠的理由の提示との関連を見た。表6－2に示したように、自己依拠的理由においては有意差は見られないが、他者依拠的理由を提示する傾向は第一章で述べたたくましい社会性や向社会性が高い傾向と結びつく〈両高群〉の方が〈両低群〉より有意に高い。

自己依拠的理由　抑制回数

	N	平均値	SD	T値
低　群	24	4.21	1.18	−2.252＊
高　群	17	5.00	1.00	

＊ p <.05

自己依拠的理由　主張回数

	N	平均値	SD	T値
低　群	24	3.67	1.34	0.898
高　群	17	3.29	1.26	

他者依拠的理由　抑制回数

	N	平均値	SD	T値
低　群	18	4.11	1.13	−2.370＊
高　群	20	4.95	1.05	

＊ p <.05

他者依拠的理由　主張回数

	N	平均値	SD	T値
低　群	18	2.94	0.94	−4.001＊＊＊
高　群	20	4.30	1.13	

＊＊＊ p <.001

表6－3　図6－4の数値表

また、少し複雑な話になるが、自己主張、自己抑制の二つの側面ごとに、自己依拠的あるいは他者依拠的理由の提示との関わりを見ると（図6－4参照）、自己主張の発達が著しい子どもはそうでない子どもより、他者依拠的理由を多く提示する傾向がある（自己依拠的理由の提示においては差異がない）。

以上のことから、自己主張と他者依拠的理由の強い関わりが見られた。つまり幼児は、自己主張場面でむしろ他者に注目し、それに基づいて主張する傾向があるといえる。このように幼児期であっても、自己主張すべき場面で自己主張できる子どもは他者をよく観察し、他者に注目し、自分の主張が受け入れられるかどうかの予想をたてている。決して利己的な理由でやみくもに自己主張しているわけではない。

この傾向が日本人幼児特有のものなのか、あるいは文化を越えて普遍的なものなのかは国際比較の調査をしてみないとわからない。が、少なくとも日本人幼児を対象とした調査からは、他者に着目する他者依拠的理由に基づいた自己制御機能の発達が有利であるといえるであろう。

なお、この調査は、現在もデータを収集中であり、全データについての分析が未完了であるので最終的な報告をする段階にはないが、今後も幼児の社会的場面における自己主張と自己抑制についてその様相をさまざまな角度から探っていく予定である。

文化のシステムと自己形成

異なる文化のなかで暮らし始めて生活が軌道に乗ると、滞在国の現地の人々のライフスタイルについてさまざまな疑問やときには不満が湧き起こる時期がある。いわゆるカルチャーショックであるが、いくつかの国での異文化適応と日本への再適応を繰り返すうちに見えてきたことがある。

文化はダイナミックなシステムである。異国の文化と自国の文化を比較してひとつの異なる現象があったとしても、それはそれぞれの文化のシステムのなかで大体つじつまがあっていることが多い。また異国の慣習で腑に落ちないことがあったとしても、ある側面で不十分な事柄を他の側面で補うという補完性も文化のシステムにはある。

たとえば、夫が日本からアメリカに転勤になった日本人の主婦が、アメリカ人の主婦は週に一回しか食料品の買い出しに出かけないことに気がついたとする。毎日スーパーマーケットに立ち寄ることの多かった日本人の主婦は、アメリカ人の主婦は楽をしているなあと思うかもしれない。けれども、これは日本の食物には刺身や豆腐などの生ものが多く保存がきかないものが多いし、湿度が高くものがいたみやすい日本の気候や風土も関わってくる。一方、アメリカの料理はきちんと冷凍してある肉を解凍して作ってもさして風味が変わらないものが多い。またアメリカのキッチンは貯蔵庫や冷蔵庫が大きいが、日本の住宅事情では一週間分の食料品を保存するスペースにも不足している。そもそも日本人は食生活への関心が強く、それに注ぐエネルギーも大きいので和・洋・中と家庭料理の種類も多いが、アメリカ人は比較的シンプルな食物を好む。さらには、スーパーマーケットが車で二〇分もかかるショッピングモールのなかにあるアメリカと、駅のそばの便利な場所にある小規模のスーパーマーケットをちょこちょこ利用できる日本の違いもある。

アメリカでの滞在が長くなると、日本人の主婦はアメリカ人の主婦が、買物に費やす時間を節約できる分だけ、キッチンや洗面所などの水回りをぴかぴかに磨き上げ、食事にお客を招くディナーパーティの回数も日本人の家庭より多いことにも気がつくだろう。このようにどちらの国の主婦が楽をしているとか、あるいは働き者であるとかは一概に判断できないのである。

この本のなかで私はアメリカ人の自己主張が自己抑制すべき場面でも強いことを述べた。それはそうとして、個人が自己主張を続けることがアメリカでは他の国と比べて社会的にも容認され、またキャリア形成上も効果的であることのうえに成り立っていることを忘れてはならない。アメリカンドリームにみるように、社会階級の移動が可能で多民族で形成される活気あふれる若い社会である。そして、自己主張を続けるアメリカ人は一方で無類のパーティ好きである。大学院のクラスディスカッションや小規模のスタディグループで激論を戦わせても、後日のパーティでは缶ビールを片手にジョークを言い合ったりプライベートな悩みを打ち明け合ったりする。このようにアメリカ人は自己主張を続けることによって起こる人間関係の摩擦を豊かなコミュニケーションで補っている。

一方、イギリス人は自己主張と自己抑制のバランスはとれているが、シャイで孤高で人と仲良くなるのに時間がかかる。イギリス人は家族やごく親しい友人との交流を大切にして日々を暮らしている。金曜日になると美容院は髪をセットしてもらっているおばあさんたちでいっぱいになる。おしゃれをして、小さな花束を買ってテーブルに飾り、週末に子どもや孫たちが訪れるのを楽しみにしている。イギリス人の人と人との間に一線を画す態度は、人づきあいに必要以上にわずらわされることなく、自分自身のための休息の時間を確保したり、また、自分にとって大切な人とゆったりとくつろいだ自由な時間を過ごすスタンスのうえに成り立っている。また、イギリス人がよく自分のいきつけのパブをもつのも、自宅を訪問し合うほどの間柄ではないが、知り合いや友だちとの邂逅《かいこう》を期してのことが多いようである。日本の大学で英語を教えている知人のイギリス人の先生は「我々はアメリカ人ほど社交的ではないが、それでも日本人よりは友人を家に招いてもてなすことが多いですよ」と言う。

前にも述べたように、どこの国の自己形成のあり方が優れているということは単純にいえない。上記のようにそれが文化のシステムとよくかみあっている場合には。

日本人の自己抑制は日本人の集団主義と長い間、実によくかみあってきた。集団の繁栄に自己実現を重ね、自己を抑え集団としてのまとまりや集団を構成する人間の等質性や連帯感を重んじることが、日本の経済発展の大きな原動力となってきたことは周知の事実である。

けれども、経済的に豊かになり、欧米の文化の強い影響も受け、またグローバルな時代における異文化コミュニケーションに有効な意思疎通の能力を習得する必要性ともあいまって、現代の日本では、自己表現や自己実現のニーズや欲求が急速に高まってきている。終身雇用や年功序列の人事制度の終焉、能力主義の導入、人材流動化の進展などにより変化した日本社会のシステムと、依然として自己主張を許さず抑制にのみ固執する自己形成の間のギャップが、かえって皮肉なことに、日本人が守ろうとする自己抑制の価値をも侵食し始めているのである。いまこそ、日本人は長い間大切にしてきた集団との調和を見失うことなく、かつ自己表現や自己実現を可能にする新しい対人関係のあり方を必要としているのではないだろうか。

これまでも外国との対比で日本の社会や文化、教育システムやしつけの問題点を浮き彫りにした書物は多い。けれども私はこの本を通して日本人にイギリス人のように生きるべきであるといっているのではない。それこそイギリス人がもっともシニカルに眺める構図である。

外国人がイギリス風の身のこなしやライフスタイルを演じてみせるとき、イギリス人の目にたゆたうのは、己れの文化の身の処し方をそれほど簡単に捨て去ることができることへの驚異と、所詮は猿真似に過ぎぬというかすかな揶揄である。

ソーシャルスキルのお手本

それでも敢えてイギリスモデルを提示したのにはわけがある。それは日本人の対人行動が以前と比べてずっと利己的で脆弱になってきているのではないかという懸念である。子育ての地域ネットワークの調査をした日本人女性の社会学者は、ひとつひとつの家庭に訪れる友人やお客があまりに少ないことを報告している。世論調査(11)の結果からも、人づきあいや人間関係が希薄になり「子どもや若者を注意する人が少なくなった」と感じている人が大半を占める。また総務庁の調査からも、「人といると疲れる」、「人は信用できない」と感じている小・中学生の増加が報告(12)されている。第五章で述べたように、日本人は状況主義であり、ウチとソトを分離するために父親の職場関係のつきあいはもっぱら外で行われ、母親は自分の子どもとごく限られた母親たちとその子どもたちだけと関わる閉塞的な人間関係のなかで暮らしている。父親を含めて家族ぐるみでつきあう友人や仲間たちが少なければ、ちょっと気の張るソーシャルスキルのお手本を大人が子どもの前で見せる機会も少なくなる。近頃きちんとあいさつができない子どもが多いと嘆く声をよく耳にするが、子どもがきちんとあいさつしなければならないような場面を日本の核家族の家庭はどれほど持っているのだろうか。親が近隣の人とろくにあいさつもかわさない状態で子どもの社会性を育むのは難しい。第五章で述べた「親和的な状況」の減少とともに「儀礼的な状況」のカテゴリーも確実に縮小化し、「無秩序の状況」だけが拡大しているのである。

さきに、イギリス人が子どものバースデーパーティのときにきちんとあいさつさせることを大切にしていると述べた。イギリス以上にアメリカでは、親は子どものソーシャルスキルを育むことに熱心である。先日、アメリカから帰国した日本人学生が、アメリカの中産階級のハイスクールの卒業時に行われるプロムといわれるダンスパーティについて話してくれた。タキシードを着た男の子は、チャーターしたリムジンに乗ってロングドレスを着て待っている女の子の家へ迎えにいく。そこで男の子はパートナーとしてお嬢さんをエスコートします、かならずのちほど無事にお送りしますと、女の子の両親にきちんとあいさつしなければならない。またパーティの席ではたまたま同じテーブルについた者同士、楽しい会話をして社交的にふるまわなければならない。リムジンやパーティの衣裳はいかにもアメリカ的であるが、ここで大切なのは大人の社会に仲間入りするときにあいさつやパーティのマナーを学ぶことであるという。このようにイギリスやアメリカでも大人がソーシャルスキルを育む機会を子どもに与えている。

オランダでも、かつて私がオランダの先生を懐かしんで訪れたとき、一八歳を頭に四人の男の子たちが家に居てきちんとあいさつし、私を招いたお茶の時間にやや照れくさそうに参加していた。日本ではお父さんのところへお客さんが来るならぼくは関係ないから外へ出かけようかなというティーンエージャーが多いのではないだろうか。

日本ではこのように親がソーシャルスキルの手本をきちんと子どもに見せる機会が近年著しく少なくなっている。お父さんのつきあい、お母さんのつきあい、子どもの友だちづきあいと、家族の成員の属性、すなわち立場・年齢・性によって細分化され、それぞれのつきあいに他の家族のメンバーは関わりがない。日本人が家に友人やお客を招きたがらないのは住宅事情、ウチ・ソトの区別、忙しい日常生活であることやお客をもてなす支度が大変なことなどがある。現代の日本人は子どもの教育費として塾や参考書への出費はいとわず子どもの知的発達を重要視するが、子どもがあいさつや人づきあいのマナーを学べるような機会を持つことも子どもの社会性を育む大切な親の役目であると思われる。人にはどう接するべきなのかというマナーだけではなく、人づきあいを大切にする親の価値態度そのものを子どもは見ている。また少しあらたまった人づきあいが楽しいというより面倒だと感じる理由にも、日本文化特有の行き過ぎた自己抑制の表示規則が関連しているのではないかと思った。

かつて、日本人は、家族のための茶の間とお客を招き入れる座敷を持ち、普段は使わないお客用の茶器や酒器を用いてお客をもてなした。もう少しくつろいだ近所づきあいでは玄関の上がり框《がまち》や縁側が重宝した。いま、日本人は現代の核家族の簡略化されたライフスタイルとも折り合い、かつソーシャルスキルの手本をきちんと子どもに見せることのできる人づきあいの新しいスタイルを再構築する必要があると感じる。

ありのままの自分

イギリスにいると、緑と静寂のなかでしみじみとした幸福感に包まれることがあった。それはオックスフォード郊外の小さな村で、婦人会のボランティアらしき中年女性がいれてくれた紅茶を片手に公民館の庭の大きな木の下でベンチにぼんやりと座っているときだったり、曇り空の下、ハムステッドヒースを気のむくままにのんびりと歩いているときだったりした。時間が止まったような感覚とひとりの人間として自由に生きていることの実感にひたる。自己意識が霧が晴れるように鮮明になっていく。アメリカに暮らしていたときのようなエキセントリックなほどの自己拡大感や、日本の社会で絶えず求められる謙虚な自己縮小感から解放されて、イギリスではニュートラルな状態で精神のバランスが保てるのだった。それはなぜか。あるいは私がイギリスの階級社会に組み込まれることのない外国人だったからかもしれない。けれどもそれ以上に、自分自身を自分以上のものにも自分以下のものにも見せる必要のないやすらぎからきているのではないだろうか。であるからこそ、自己主張と自己抑制のバランスがとれるのである。

この自己主張と自己抑制のバランスのとれたイギリスモデルをヒントにして、新しい日本文化のシステムと合致する日本独自の新たな自己形成を模索していくことが、幼児期の子どもたちを、次世代を育成する私たち大人の課題である。

幼児期の自己主張を育むには、まず何よりも大人たちが自己主張を捉え直し、かつ伝統的な自己抑制も見失うことなく、自己主張と自己抑制のバランスをうまくとる生き方を構築する必要がある。それが基本にあってこそ大人が子どもの自己主張を受容することが可能になる。自己主張しても大丈夫だというメッセージを環境から読み取ることができたとき、子どもは自己主張を始める。オランダの学校で私自身が経験したように。社会性と個性、あるいは他者への思いやりと自己実現、人が幸福に生きていくうえでそれぞれ不可欠であるこの二つの特質をともに育むには自他調整のうえに成り立つ自己主張こそが有効である。

ながながとイギリスを例に引いたが、行き過ぎた自己主張でも自己抑制でもないナチュラルな生き方もあることを読み取っていただければこんなにうれしいことはない。

あとがき

もし私にこの本を書く資格があるとしたら、それは私にそれぞれ異なる年齢で海の向こう側から日本を見つめる機会が三度あったからだろう。オランダから見た日本、アメリカから見た日本、そしてイギリスから見た日本。異文化の合せ鏡に映し出された日本はその都度光があたる場所や陰影が異なって見えた。

私の父は三三歳のときに勤務先の会社の海外進出の命を受けて、オランダ北部の小さなS市に工場を開いた。父は多忙をきわめ、ヨーロッパ各国での拠点づくりのため、近隣の国への出張も多かった。夜更けにデュッセルドルフから車を駆って帰って来る父を母は心配しながら遅くまで待っていた。工場のオランダ人従業員との親睦会では、母はオランダ人の女子従業員に日本から持っていった自分の加賀友禅の着物を着せ、茶道の盆略点前《ぼんりゃくてまえ》を体験させた。

ある夏の晩、デュッセルドルフを出ると連絡があって、おおよその予定の到着時間を過ぎても父が戻ってこない。真夜中に帰ってきた父は途中で車が故障し、父を含む三人の日本人は車を降り、白いワイシャツ姿の方が夜道で目立って車に拾ってもらいやすいからと背広を脱いで、アウトバーンの端を歩き続けたと語った。結局通りかかったトラックに運良く乗せてもらえたのだが、S市に近づいてきて、父がなにがしかのお礼をしようと財布の入った背広の内側に手を入れると、オランダ人の若い運転手は何か事件に巻き込まれるのではとハンドルにしがみついて身震いしたという。あのトラックの運転手は夜間によく三人の日本人を乗せてくれたなあと父はつぶやいた。

そのような異文化理解や人種間の相互理解が日常生活に深く関わる環境で、多感な時期を私は過ごした。この本が次世代の日本人のグローバルなレベルの豊かな社会性を育むことと、日本人の異文化理解に少しでも役に立つのであれば幸いである。

この本のなかで私は日本とイギリスの教育やしつけをさまざまな形で対比させた。イギリスの幼児教育やしつけのあり方を日本と対照してみることが、自国の文化価値に沿った教育やしつけが子どもたちにどんな方向づけをしているかを、養育者が客観的に意識するひとつの機会になればうれしい。「もうひとつの子育て」について知り、日本人の子育てのあり方と子どもたちの発達を文化比較の広角レンズで見ておくことは、子どもたちの養育に柔軟性と奥行きを与えてくれると考える。

この本に書いた研究は比較教育学、あるいは異文化間心理学といわれる領域に入る。読者は、教育学なのか心理学なのかと訝しく思われるかもしれない。けれども星野命の論ずるように、文化がパーソナリティに与える影響を解明するには文化人類学、心理学、社会学のそれぞれの観点と手法によってなされた研究が統合されていくことが望ましいし、それは教育学についても同様であるといえるだろう。本研究では心理学的手法を使ったが、心理学と教育学の学際的研究であると捉えていただくのがいちばん妥当である。

本書の日英比較研究が完成するまでには多くの先生方にひとかたならぬご指導をいただいた。「文化と言語」について教えを受けたハーバード大学のキャサリン・スノウ（Catherine Snow）教授、「文化とパーソナリティ」の教えを受けたロバート・ルヴァイン（Robert LeVine）教授、ロンドン大学の博士論文の指導教官であったアンジェラ・リトル（Angela Little）教授、また心理学の領域を学ぶうえで、文京女子大学の東洋先生、白百合女子大学の柏木惠子先生、京都女子大学の星野命先生には多くの恩恵と影響を受けた。特に柏木先生には、本書の日英比較研究の際に先生のご研究を基礎研究として文化比較を行うことを許していただき、深く感謝している。また、本書は柏木先生を中心とする白百合女子大学の「就学前児の社会的・認知的発達に関する縦断的調査」の研究会での話し合いやデータ分析に負うところが多い。また、勤務先の鶴川女子短期大学の東安子先生は研究を続けなさいと折にふれて励まして下さった。

この本を書くよう勧めて下さったのは東京大学の恒吉僚子先生である。英語で書いた博士論文を日本語できちんとまとめるよう、強い動機づけと励ましをいただいた。上智大学の加藤恭子先生にも草稿を見ていただき、貴重なご助言をいただいた。データ分析では白百合女子大学の目良秋子さんに大変お世話になった。

中央公論新社の佐々木久夫氏には恒吉先生のご紹介でお目にかかり、初めての本を書く私に本質的で実践的なご指導をいただいた。編集者の高橋真理子氏には、論旨の通らない箇所、表現の堅さなどを指摘する冷静沈着なプロ意識と、原稿をやりとりするたびに「次の章を最初の読者として楽しみにしています」と書いて下さる優しさに励まされた。

この日英比較の研究にご協力いただいた日本の幼稚園、イギリスの幼児学校の先生方、幼児たちとそのお母さま方に深く感謝する。また研究奨励費をいただいたトヨタ財団にもお礼を申し上げる。

最後に、どんなときにも私を見守り忍耐強く支えてくれた家族ひとりひとりに感謝する。

この本は私の両親に捧げる。

佐藤淑子

Relationships in the Experience of the Child, Edinburgh University press.
（9） 柏木惠子，1982,「社会化と個性化」,『講座現代の心理学 2 人間の成長』小学館，235-303ページ.
（10） 佐藤淑子・目良秋子・田家幸江・柏木惠子，1999,「就学前幼児の社会的認知的発達に関する縦断研究(1)－2」,『発達研究』14巻，27-36ページ.
（11） 読売新聞社全国世論調査，2000年 8 月 9 日付け朝刊記事.
（12） 総務庁,「低年齢少年の価値観に関する調査」,『読売新聞』2000年12月24日付け朝刊記事.

国際比較調査の実施結果について」.
(14) 佐藤淑子，1996,「幼児の社会的場面における自己制御機能の発達に関わる母親のしつけ」,『家庭教育研究所紀要』18号, 131-140ページ.
(15) 勝浦クック範子，1995,「ほめる・しかるの日米比較」,『児童心理』10月号，40-46ページ.
(16) 沢崎達矢，1995,「親にしかできないほめ方叱り方」,『児童心理』10月号，96-100ページ.
(17) 宮本美沙子，1978,「幼児期の親子関係」，柏木惠子・松田惺・宮本美沙子・久世敏雄・三輪弘道『親子関係の心理』有斐閣選書.

第六章

(1) 磯貝芳郎・福島脩美，1987,『自己抑制と自己実現』講談社現代新書.
(2) 平木典子，2000,『自己カウンセリングとアサーションのすすめ』金子書房.
(3) 佐藤淑子，1997,「女子青年の対人場面における自己主張」,『発達研究』12巻，28-36ページ.
(4) 川本ひとみ，1991,「異文化体験のアサーティブネスに及ぼす効果：攻撃的対人行動との関連における心理学的考察」,『東京学芸大学海外子女教育センター研究紀要』6，45-65ページ.
(5) Klauss, R. and Bass, M. 1974. "Group Influence on Individual Behavior Across Cultures", in *Journal of Cross-Cultural Psychology,* Vol. 5. No. 2. pp. 236-246.
(6) 柿沼美紀，1993,「育児雑誌の内容比較から見た日本の母親の養育行動」未発表論文.
(7) Rohlen, T. 1983. *Japan's High Schools,* Berkeley: University of California Press, quoted in Merry I. White and Robert A. LeVine. 1986. "What is an iiko (good child)?", in *Child Development and Education in Japan*, edited by H. Stevenson, H. Azuma and K. Hakuta, New York: W. H. Freeman and Company.
(8) James, A. 1993. *Childhood Identities—Self and Social*

的変化について」，『発達研究』 4 巻，45-63ページ.
（4） 出口保夫・林望，2000，『イギリスはかしこい』PHP文庫，83ページ.
（5） S．アイザックス，椨瑞希子訳，1989，『幼児の知的発達』，長尾十三二監修，世界新教育運動選書，明治図書.
（6） 柏木惠子，1988，『幼児期における「自己」の発達』東京大学出版会.

第五章

（1） ポーラ文化研究所，1990，「女性の意識と行動調査」，柏木惠子・古澤頼雄・宮下孝広，1996，『発達心理学への招待』ミネルヴァ書房，80ページに引用.
（2） Tobin, J., Wu, D. and Davidson, D., 1989，「幼稚園・保育園で子どもが学ぶこと」，柏木惠子・古澤頼雄・宮下孝広，1996，『発達心理学への招待』ミネルヴァ書房，79ページに引用.
（3） 東洋，1998，「やさしさとは」，子どもと遊び研究会編『子どもの「やさしさ」を育む本』PHP研究所.
（4） 守屋慶子，1994，『子どもとファンタジー』新曜社.
（5） 二宮克美，1995，「小学生のたくましい社会性の日米比較」，祖父江孝男・梶田正巳編『日本の教育力』金子書房.
（6） Takie Sugiyama Lebra. 1976. *Japanese Patterns of Behavior,* Honolulu: The University of Hawaii.
（7） ディビット・マツモト・工藤力，1996，『日本人の感情世界』誠信書房.
（8） 梶田叡一，1988，『自己意識の心理学』第 2 版，東京大学出版会.
（9） 多鹿秀継・鈴木真雄編著，1992，『発達と学習の基礎』福村出版.
（10） 東洋，1994，『日本人のしつけと教育』東京大学出版会.
（11） 恒吉僚子，1992，『人間形成の日米比較』中公新書.
（12） 石島葉子・伊藤綾子，1996，「いい子の特性―母親の意見の日米比較」，柏木惠子・古澤頼雄・宮下孝広，『発達心理学への招待』ミネルヴァ書房，141ページに引用.
（13） 文部省，2000，ホームページ「子どもの体験活動等に関する

Wiley and Sons.
(19) Davis, Rosemary. 1986. "Introduction", in *The Infant School: Past, Present and Future,* Bedford Way Papers 27, Institute of Education, University of London.
(20) 水野国利編, 岡田正章・川野辺敏監修, 1983,『世界の幼児教育7　イギリス』日本らいぶらり.
(21) 白井常, 1985,『世界の幼児教育 (イギリス)』「幼稚園　保育園　保育所シリーズ12」丸善メイツ株式会社.
(22) 藤永保, 1990,『幼児教育を考える』岩波新書.
(23) 野村房代・目良秋子・田家幸江・柏木惠子, 1990,「園・教師のしつけ観と幼児の自己制御機能」,『発達研究』14巻, 37-52ページ.
(24) Peak, Lois. 1991. *Learning to go to school in Japan,* Berkeley: University of California Press.
(25) Lewis, Catherine. 1984. "Cooperation and Control in Japanese Nursery Schools", in *Comparative Education Review,* 28 (February): 69-84.
(26) Tobin, J., Wu, D. and Davidson, D. 1989. *Preschool in Three Cultures: Japan, China, and the United States,* New Haven: Yale University Press.
(27) Hendry, J. 1986. *Becoming Japanese: the world of the pre-school child,* Manchester: Manchester University Press.
(28) 目良秋子・田家幸江・佐藤淑子・柏木惠子, 2000,「就学前幼児の社会的認知的発達に関する縦断研究 (6)」,『日本発達心理学会第11回大会発表論文集』.

第四章

(1) 恒吉僚子, 1992,『人間形成の日米比較』中公新書.
(2) 佐藤淑子, 1991, 1993, 1994,「英国在住の日本人就学前幼児の異文化学習—社会的場面における自己制御機能の発達—I—III」,『発達研究』7巻, 145-165ページ, 9巻, 41-60ページ, 10巻, 17-29ページ.
(3) 田島信元・柏木惠子・氏家達夫, 1988,「幼児の自己制御機能の発達：絵画自己制御能力テストにおける4—6歳の縦断

（5） Curtis, Audrey. 1986. *A curriculum for the pre-school child,* Windsor: Nfer Nelson.
（6） Bond, J. M. 1973. *First Year Assessment Papers in Reasoning,* Surrey: Thomas Nelson and Sons Ltd.
（7） S．アイザックス，椨瑞希子訳，1989,『幼児の知的発達』，長尾十三二監修，世界新教育運動選書，明治図書.
（8） 塘利枝子，1995,「日英の教科書に見る家族：子どもの社会化過程としての教科書」，『発達心理学研究』第6巻第1号，1-16ページ.
（9） Tamburrini, Joan. 1986. "Trends in Developmental Research and their implications for Infant School education: in place of ideologies", in *The Infant School: Past, Present and Future,* edited by Rosemary Davis, Bedford Way Papers 27, Institute of Education, University of London.
（10） 根ヶ山光一，1992,「食事場面における英国の母子関係―日本との比較において―」，『日本心理学会第56回大会発表論文集』.
（11） 今津孝次郎・浜口恵俊・作田啓一，1979,「社会環境の変容と子どもの発達」，『子どもの発達と教育1』岩波書店.
（12） 飯長喜一郎・篠田有子・大久保孝治・中野由美子・大八木美枝，1985,「家族の就寝形態の研究」，『家庭教育研究所紀要』6号，43-64ページ.
（13） 松田道雄，1982,『新版　育児の百科』第5刷，岩波書店
（14） 恒吉僚子，1992,『人間形成の日米比較』中公新書.
（15） 東洋，1994,『日本人のしつけと教育』東京大学出版会.
（16） Lewis, Catherine. 1991. "Nursery schools: The Transition from Home to School", in *Transcending Stereotypes,* edited by Barbara Finkelstein, Anne Inamura and Joseph Tobin, Yarmouth: Inter-cultural Press, Inc., pp. 81-95.
（17） Fechbach, N., Goodlad, J. and Lomcard, A. 1973. *Early Schooling in England and Israel,* New York. McGraw-Hill Book Company.
（18） King, Ronald. 1978. *All Things Bright and Beautiful ? A Sociological Study of Infant's Classrooms,* London: John

（6） 池田潔，1949，『自由と規律』岩波新書.
（7） 森嶋通夫，1978，『続　イギリスと日本―その国民性と社会』岩波新書.
（8） Little, Angela. 1988, “Learning from Developing Countries”, An Inaugural Lecture delivered at the Institute of education, University of London.
（9） T. P. レゲット，1983，『紳士道と武士道―日英比較文化論―』サイマル出版会.
（10） 東洋，1994，『日本人のしつけと教育』東京大学出版会.
（11） 守屋慶子，1994，『子どもとファンタジー』新曜社.
（12） 総理府総務庁青少年対策本部（編），1987，『日本の子供と母親―国際比較―』.
（13） Feshbach, N., Goodlad, J. and Lomcard, A. 1973. *Early Schooling in England and Israel*, New York: McGraw-Hill Book Company
（14） Hendry, J. 1986. *Becoming Japanese: the world of the pre-school child,* Manchester: Manchester University Press.

第三章

（1） Newson, J. and Newson, E. 1974. “Cultural aspects of childrearing in the English-speaking world”, in *The Integration of a Child into a Social World,* edited by M. Richards, Cambridge: Cambridge University Press.
（2） 兵庫県家庭問題研究所，1990，「イギリスの家族関係との比較研究　夫婦関係をめぐって」，『イギリスとの比較研究報告書』.
（3） Newson, J. and Newson, E. 1968. *Four Years Old in an Urban Community,* London: Allen and Unwin Ltd., cited in “Early Childhood Education in England and Wales”, in *Educational Psychology—An International Perspective,* written by Gilbert R. Austin. 1976. London: Academic Press.
（4） Bernstein, B. 1971. *Class, Codes and Control,* London: Routledge and Kegan Paul.

（9） 北山忍・唐澤真弓，1995,「自己：文化心理学的視座」,『実験社会心理学研究』35巻，133-163ページ.
（10） 柏木惠子，1988,『幼児期における「自己」の発達』東京大学出版会.
（11） 二宮克美，1995,「たくましい社会性を育てる」，祖父江孝男・梶田正巳編『日本の教育力』金子書房.
（12） 伊藤順子，1999,「自己制御認知タイプと向社会的行動との関連」，日本発達心理学会第10回大会発表資料.
（13） 首藤敏元，1995,「たくましい社会性のタイプと社会的行動」，祖父江孝男・梶田正巳編『日本の教育力』金子書房.
（14） 山岸明子，1995,「日本の小学生と中学生のたくましい社会性」，祖父江孝男・梶田正巳編『日本の教育力』金子書房.
（15） 二宮克美，1995,「小学生のたくましい社会性の日米比較」，祖父江孝男・梶田正巳編『日本の教育力』金子書房.
（16） 恒吉僚子，1999,『「教育崩壊」再生へのプログラム』東京書籍.

第二章

（1） Watson, J. L. 1977. "Introduction: Immigration, Ethnicity, and Class in Britain", in *Between Two Cultures: Migrants and Minorities in Britain,* edited by J. L. Watson, Oxford: Blackwell.
（2） Banton, M. 1967. "Race Relations" London: Tavistock Publications, quoted in J. L. Watson (p. 17), "Introduction: Immigration, Ethnicity, and Class in Britain", in *Between Two Cultures: Migrants and Minorities in Britain,* edited by J. L. Watson, Oxford: Blackwell.
（3） 内林政夫,「ノイズ・レベル」,『日本経済新聞』2000年5月24日付け夕刊コラム「あすへの話題」.
（4） Sato, Yoshiko. 1995. "Cultural Learning of Japanese Pre-school Children in England: A Comparative Study on the Development of Self-Regulation between England and Japan", Ph. D. thesis, Institute of Education, University of London (unpublished paper).
（5） 夏目漱石，1978,『私の個人主義』講談社学術文庫.

参考文献

（1） N. ワイトブレッド，田口仁久訳，1992，『イギリス幼児教育の史的展開』酒井書店.

（2） M. K. プリングル・S. ナイドゥ，久保紘章・島田幸恵訳，1979，『イギリスの子どもたち』川島書店.

（3） 田口仁久，1976，『イギリス幼児教育史』明治図書.

引用文献

第一章

（1） 我妻洋・原ひろ子，1974，『しつけ』弘文堂.

（2） 中山治，1989，『ぼかしの心理』創元社.

（3） Doi, Takeo. 1991. "Giving and Receiving", in *Transcending Stereotypes,* edited by Barbara Finkelstein, Anne Inamura and Joseph Tobin, Yarmouth: Inter-cultural Press, Inc.

（4） 川本ひとみ，1991，「異文化体験のアサーティブネスに及ぼす効果：攻撃的対人行動との関連における心理学的考察」，『東京学芸大学海外子女教育センター研究紀要』 6，45-65ページ.

（5） 岡松佐知子，1994，「異文化体験が自己主張に及ぼす影響」，『日本発達心理学会第5回大会発表論文集』233ページ.

（6） 無藤隆・久保ゆかり・大嶋百合子，1980，「学生はなぜ質問しないのか」，『心理学評論』23，1，71-78ページ.

（7） 佐藤淑子，1997，「女子青年の対人場面における自己主張」，『発達研究』12巻，28-36ページ.

（8） 福原久美，1994，「女性らしさと自分らしさの間で」，岡本祐子・松下美知子編『女性のためのライフサイクル心理学』福村出版.

佐藤淑子（さとう・よしこ）

1955年（昭和30年），富山県に生まれる．
ハーバード大学教育大学院修士課程修了，
ロンドン大学教育研究所博士課程修了，
Ph. D.（教育学）．現在，鶴川女子短期
大学助教授．
論文「英国在住の日本人就学前幼児の異文化学習―社会的場面における自己制御機能の発達―」『発達研究』
"A Comparative Study of Socialization between Japanese and English Pre-school Children", *International Journal of Japanese Sociology*. 他

イギリスのいい子《こ》 日本《にほん》のいい子《こ》
中公新書 *1578*

2001年3月15日印刷
2001年3月25日発行

著 者 佐藤淑子
発行者 中村 仁

本文印刷 三晃印刷
カバー印刷 大熊整美堂
製 本 小泉製本

発行所 中央公論新社
〒104-8320
東京都中央区京橋 2-8-7
電話 販売部 03-3563-1431
編集部 03-3563-3666
振替 00120-5-104508

◇定価はカバーに表示してあります．
◇落丁本・乱丁本はお手数ですが小社販売部宛にお送りください．送料小社負担にてお取り替えいたします．

Printed in Japan ISBN4-12-101578-9 C1236

中公新書刊行のことば

いまからちょうど五世紀まえ、グーテンベルクが近代印刷術を発明したとき、書物の大量生産は潜在的可能性を獲得し、いまからちょうど一世紀まえ、世界のおもな文明国で義務教育制度が採用されたとき、書物の大量需要の潜在性が形成された。この二つの潜在性がはげしく現実化したのが現代である。

いまや、書物によって視野を拡大し、変りゆく世界に豊かに対応しようとする強い要求を私たちは抑えることができない。この要求にこたえる義務を、今日の書物は背負っている。だが、その義務は、たんに専門的知識の通俗化をはかることによって果たされるものでもなく、通俗的好奇心にうったえて、いたずらに発行部数の巨大さを誇ることによって果たされるものでもない。現代を真摯に生きようとする読者に、真に知るに価いする知識だけを選びだして提供すること、これが中公新書の最大の目標である。

私たちは、知識として錯覚しているものによってしばしば動かされ、裏切られる。私たちは、作為によってあたえられた知識のうえに生きることがあまりに多く、ゆるぎない事実を通して思索することがあまりにすくない。中公新書が、その一貫した特色として自らに課すものは、この事実のみの持つ無条件の説得力を発揮させることである。現代にあらたな意味を投げかけるべく待機している過去の歴史的事実もまた、中公新書によって数多く発掘されるであろう。

中公新書は、現代を自らの眼で見つめようとする、逞しい知的な読者の活力となることを欲している。

一九六二年一一月

哲学・思想・心理 III

性格　相場均
犯罪心理学入門　福島章
非行心理学入門　福島章
精神鑑定の事件史　中谷陽二
孤独の世界　島崎敏樹
躁と鬱　斎藤茂太
対象喪失　小此木啓吾
群発自殺　高橋祥友
無意識の構造　河合隼雄
サブリミナル・マインド　下條信輔
死刑囚の記録　加賀乙彦
人間の詩と真実　霜山徳爾
ことばの心理学　入谷敏男
青年期　笠原嘉
少年期の心　山中康裕

知的好奇心　波多野誼余夫　稲垣佳世子
無気力の心理学　波多野誼余夫　稲垣佳世子
人はいかに学ぶか　稲垣佳世子　波多野誼余夫
考えることの科学　市川伸一
連想活用術　海保博之
病的性格　懸田克躬
時間と自己　木村敏
死をどう生きたか　日野原重明
百言百話　谷沢永一
問題解決の心理学　安西祐一郎
児童虐待　池田由子
現代思想としての環境問題　佐倉統
生命知としての場の論理　清水博
医学史と数学史の対話　川喜田愛郎　佐々木力